JN232698

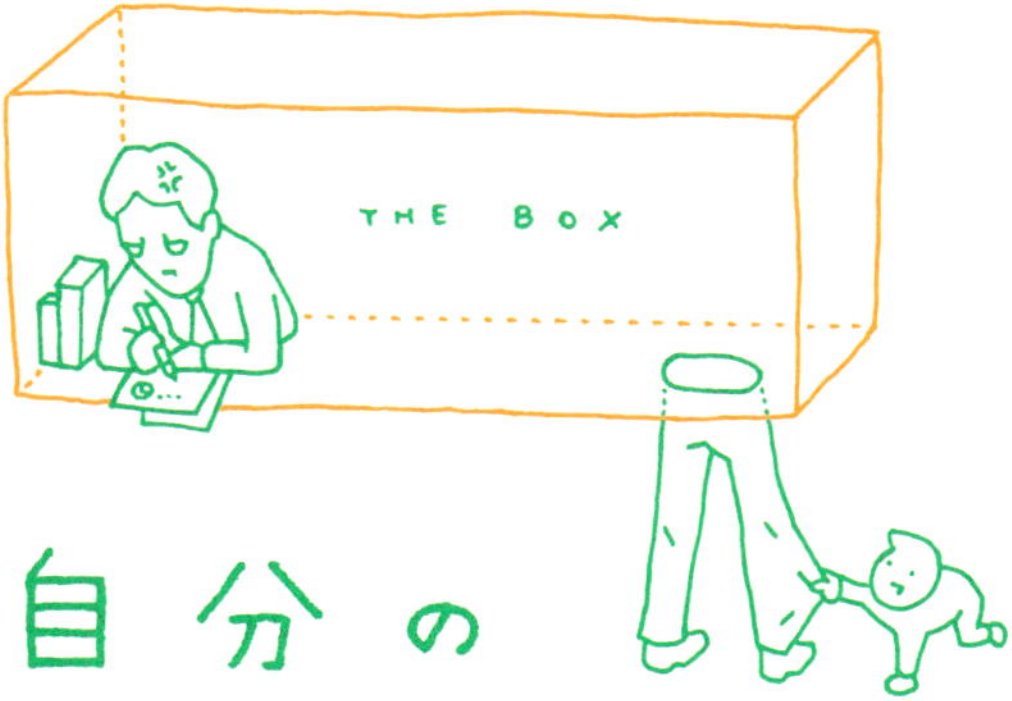

自分の小さな「箱」から脱出する方法

人間関係のパターンを変えれば、うまくいく!

LEADERSHIP AND SELF-DECEPTION
GETTING OUT OF THE BOX

アービンジャー・インスティチュート：著
金森重樹：監修 / 冨永星：訳

大和書房

監修者まえがき

トラブルを引き起こしている「原因」の正体

金森重樹

七月も、もう二九日だというのにいまだに梅雨が明けず、どんよりとした土曜日の午後に僕は本書の監修を終えて、まさにこのまえがきの部分をどう書いたらいいか考えていました。

本書の説明している内容については、理解できているつもりでいました。

ええ、その意味内容については当然に理解できていなければ監修などできるはずありませんから。

でも、それが日常生活でどのように生かせるか、そしてそれによってどのようなメリットが具体的に提示可能なのかが今ひとつすっきりと腹に落ちないでいて、まえがきを書きあぐねていたのです。

箱に入るということとは……

人間関係の改善……

モチベーション理論??

あれこれ悩んだ末に、僕はいったんまえがきを書くのを中断して、本書の内容がすこし頭の中で熟成するまで時間をおくこととしました。

その日の夕方は、六本木の僕の事務所に、ある経営者の方が相談に見える定例の相談日でした。

彼は、自分の資産形成のために、最初は不動産投資顧問としての僕の意見を聞きに月に一回事務所にやってきていましたが、僕がマーケティングの専門家であるということもあって、いつしか投資の相談が事業全般の相談に変わり、相談の後には深夜まで酒を酌《く》み交わしながら人生の悩みについての談義をする間柄になっていました。

その日も事業の相談事をひとしきり打ち合わせた後、いつものように六本木の交差点を見下ろすビルのバーで二人して一杯やりながら話していました。

彼は酒が入ると饒舌《じょうぜつ》になり、奥さんに愛人のことがばれて叱られたときのことなど、いろいろな悩み事を率直に話してくれ、『外からみれば社会的な地位があって何不自由ないように見える人でも、内側には多くの悩みを抱えているものだな』と、話を聞きながら僕は考えていました。

その日の夜は、隅田川の花火大会ということもあって、六本木は人通りがいつもより少なく、眼下の交差点はグループで見物にいくであろう人たちを乗せて何台ものリムジンが行き来していました。

そんなこんなで、すっかり本書のまえがきのことを忘れて飲んでいた僕たちですが、話が彼の子どものことに及んだときに、それがまさに本書の役割を示す内容であったことから僕は瞬時に本書の生かし方についての理解に到達することになります。

その話とは、本書の内容と同じように、夫婦の対立と、親に対する子どもの反抗についてでした。

彼の長男は生まれたときにちょっとした障害を抱えて生まれてきました。

そのことが原因かどうかは、今となっては定かではありませんし、その障害も今ではもう見られませんが、彼の長男はごく小さな頃から彼に非常に反抗的で、また彼だけではなく、実の母親にもなつかなかったといいます。

おそらく、彼ら夫婦が箱に入ってしまっていたことによって、子どものほうでも箱に入ってしまっていたのでしょう。

彼ら夫婦はこれも推測ですが自分の子どもを、親としてあってはならないことかもしれませんが、愛せないでいたのです。

そして、そのような両親の心のうちを幼いながらも敏感に感じとった長男は、心がすさんでいき、親の期待に応えて親から嫌われる子どもという役割を演じるようになります。

そうして、問題行動を起こすようになった長男に手を焼いた彼は、小学校に上がって間もないわが子を海外の寮生活に出してしまいます。

なぜならば、長男が彼ら夫婦を嫌っているということは、彼ら夫婦の間に非常なストレスとあつれきを生み出して、彼ら夫婦は長男がいたのでは正常な家庭生活を送れないと考え、また素直に育っている次男のほうにも長男による悪い影響が及ぶことを恐れたからです。

このストレスは夫婦間にも影響をあたえ、夫婦間も非常に険悪になっていたことから、彼は事業に集中できず、事業経営において看過《かんか》できないミスを犯してしまったり、判断に切れがなくなっていました。

また、彼ら夫婦は互いに箱に入ったままでお互いを非難しあっていたため、それが原因となって、彼は愛人に走ってしまいます。

ここまででしたら、会社経営者の家庭によくある、商売に熱をいれるあまりに家庭を顧みない社長の話です。

違うのはここからです。

実は、彼の長男は七月になって夏季休暇で海外の寮から日本に帰ってきていました。

その際に、長男を恐怖に感じていた彼ら夫婦は彼の田舎に長男を預けてしまいます。

そうしたところ、長男はおじいちゃんと非常に仲良く遊び、またおじいちゃんに厳しく叱られたときにも、ちゃんとおじいちゃんのいうことを聞いていたそうです。


その様子にすっかり安心した彼ら夫婦は自宅に長男を呼び戻します。

海外への留学経験で、長男がちゃんと更生してくれたと彼ら夫婦は考えたのです。


ところが、長男を自宅に呼び戻したとたんに長男は表情が一変して、彼らに徹底して反抗してきたといいます。


つまり、長男は彼ら夫婦が自分を嫌っていることを非常に小さな頃から理解していて、それで箱に入った両親に対して、反抗的になっていたわけです。

長男はおじいちゃんに対しては、箱に入っていませんでしたが、実の両親に対しては箱に入っていたのです。

また、両親の側が箱に入っていたことが、長男を箱に押し込める原因になっていたのです。

おじいちゃんは、長男に対して箱に入っていませんでした。

無条件の愛情と寛容をもって孫に接していたため、長男もそれを理解して、おじいちゃんが厳しく叱ったときにも素直にそれに従ったのだと思います。

箱の問題は、親子関係、夫婦関係、愛人問題、事業のモチベーションなど、実に多くの問題を引き起こしてしまっていたのです。

そして、長男が箱に入っていることについて、彼ら夫婦には長男を自分たちから遠ざけるという対処療法でしか解決できないでいたわけです。

また、自分たちが箱に入っていることについて、おそらく彼らは気づいていませんでした。

そうか！

僕は、その話を聞いたときに、本書で、人間関係の多くの問題が一挙に解決できると書いてあったことの意味がようやく腹に落ちました。

我々がこの世で受ける苦しみは、それぞれが脈絡なく発生しているようでいて、実は複雑にからみあった糸のように相互に影響しあっていることが多いのですね。

そして、その根本の原因を作り出している発生源が、他ならぬ自分自身のものの見方であることが人生においては存外に多いのかもしれません。

本書は、自分をとりまいて起こるトラブルの原因を見直し、人間関係に関する多くの問題を一挙に解決できる力を秘めています。

本書の考え方をあなたの生活において、活用してみてください。

あなたのよりよきビジネス、人間関係、家庭生活のために、時には、もしかしたら自分は今箱に入っているのではないかと疑ってみることが大切ですね。

もしかしたら、あなたこそが問題を引き起こしている張本人かもしれませんよ。

CONTENTS

+

目次

第1部 「箱」という名の自己欺瞞の世界

第2部 人はどのようにして箱に入るか

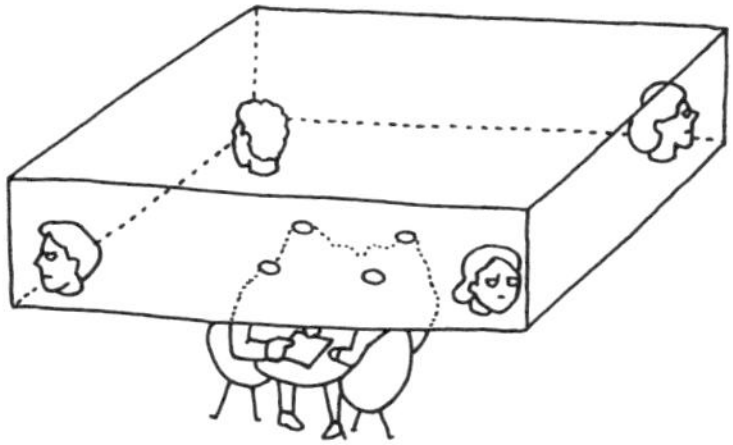

第3部 箱からどのようにして出るか

THE BOX

I

第１部

「箱」
という名の
自己欺瞞の世界

SELF-DECEPTION
AND THE "BOX"

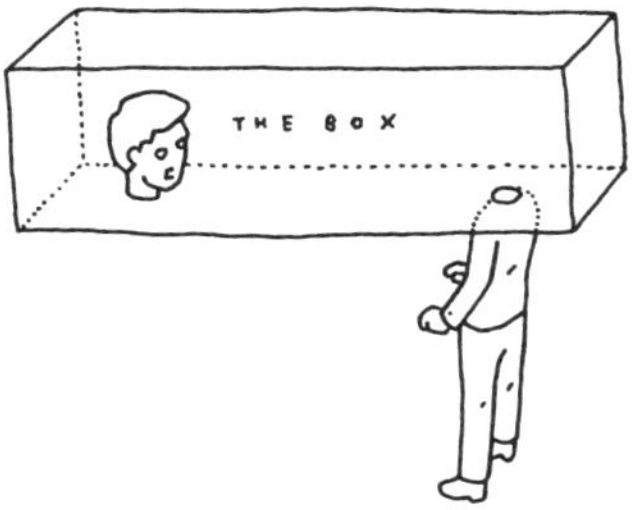

CHAPTER

I

＋

「君には問題がある」

わたしが、コネチカットにある、ひっそりとした大学のキャンパスにも似たザグラム社の本部をはじめて訪れたのは、ちょうど二ヵ月前のことだった。上級管理職の面接試験を受けにきたのだ。

当時わたしは、ザグラム社と競い合っている某社の、かなり高いポジションについていた。ザグラム社に注目するようになってかれこれ一〇年、わたしはもはや二番手という立場に甘んじることはできなくなっていた。そして八回にのぼる面接を受け、ついに、ザグラム社のプロダクト・ラインの一つを率いることになったのだ。

入社して一ヵ月ほど経ったある日、わたしは上級管理職を対象とするザグラム社独自の研修を受けることになった。専務副社長のバド・ジェファーソンとの、丸一日をかけた一対一のミーティングである。

バドは、ザグラム社会長ケイト・ステナルードの右腕で、近々わたしの上司になるはずの人物だった。最近、経営陣に異動があったのだ。

このミーティングの内容について同僚たちにたずねてみても、返ってくるのはまるで訳のわからない説明ばかり。ある発見によって「人間関係の問題」が解決されるだとか、人間というのは、実は成果をあげることは二の次にして動くものなんだとか、「バドのミーティング」とそれに沿った戦略がザグラム社の信じられない成功の鍵になっているんだとかいわれても、こっちには何のことだかさっぱりだった。

＋「自分ほど努力してきた人間はいない」

何はともあれ、新しい上司に早く会って自分を印象づけたいと、わたしの心ははやっていた。噂だけは耳にしていたものの、直接バドに会ったことはなかった。最近わたしが参加した新製品発表のための会議には、バドも参加していたが、その場でバドが特に積極的な役割を果たしたわけではなかった。

五〇歳にしては若々しく、かなり変わった人物であるらしい。金はたっぷりあるのに、ホイールキャップもつけずに安物の車を乗り回している。高校では落ちこぼれかけたのに、ハーバードを最優秀の成績で卒業し、法律とビジネスの学位を持っている。そして、ビートルズに夢中な美術通でもある。

一見矛盾だらけなのに、というよりも、おそらくこのように矛盾しているからこそ、バドはザグラム社を象徴する人物として尊敬を集めていた。

ザグラム社そのものと同じように、神秘的なのにオープンで、何かにとりつかれたような馬力の持ち主なのに人情味にあふれていて、洗練されていながら現実感覚を失わない人物。どこか不思議な存在ではあっても、会社の誰もがバドに賞賛を惜しまなかった。

八番ビルにあるわたしのオフィスから中央ビルのロビーまでは歩いて一〇分。わたしは、ザグラム社の一〇あるビルを結ぶ二三本の通路のうちの一本をたどっていた。

道をおおうようにオークや楓《かえで》の木々が生い茂り、そばにはケイト・クリークが流れている。会長のケイト・ステナルードの発案によるこの美しい人工の川を、社員たちはケイトにちなんでこう呼んでいた。

中央ビルのむき出しの鋼鉄製の階段を三階へと上がりながら、わたしはザグラムでのこの一ヵ月の自分の仕事ぶりを振り返っていた。

常に誰よりも早く出社して、一番遅くまで残業していた。

仕事には十分集中できていたし、目標はちゃんと達成してきた。

妻にはよく文句をいわれるが、今後昇進のチャンスがあったときにライバルになりそうな同僚よりよい仕事をし、他に抜きんでようと努《つと》めてきた。

恥じるようなことは何一つしていない。いつバドに会っても大丈夫だ。

＋「成功してきたわたし」の問題点

三階のメインロビーでバドの秘書に迎えられたわたしは、そのまま大会議室に通された。会議室の大きな窓からは、青々とした木の間越しに、構内のすばらしい眺めが広がっていた。

一分ほど経ったろうか、軽快なノックの音がしてバドが入ってきた。

「やあ、こんにちは。わざわざ足を運んでくれてありがとう」

バドは満面に笑みを浮かべてそういうと、握手をしようと、手を差し出した。

「さあ、座ってくれたまえ。何か飲み物は？　コーヒー？　それともジュース？」

「いいえ、飲み物はけっこうです。もう、たっぷり飲んできましたから」

わたしは近くにあった黒い革張りの椅子に、窓に背を向けて座り、バドが隅の給仕エリアに行ってピッチャーからコップに水を注いでいるのを見ていた。

バドは、自分の飲み物とピッチャーと空のコップを一つテーブルに置くと、口を開いた。

「今日来てもらったのは、理由があってのことなんだ。重大な理由だ」

「はい」

わたしは、内心の不安を隠そうと、努めて平静な口調をよそおった。

「君には問題がある。当社で成功したいのなら、その問題を解決しなくてはならない」

突然腹を蹴り上げられたような気分だった。

何かぴったりくることをいおうとしたが、頭が混乱しきっていて、何も浮かんでこない。すぐに、心臓の鼓動が激しくなったのに気づき、顔から血の気が引いていくのを感じた。

仕事では成功を収めてきたものの、わたしには一つ、隠れた弱点があった。

いとも簡単に動転してしまうのだ。

しかし、突然の瞬きなどで動転していることがばれてしまわないよう、顔の筋肉をコントロールして、目をリラックスさせる術《すべ》を身につけてきた。

今では、本能的に顔と心との回路を遮断することができる。

そうでもなければ、小学校三年生の頃、先生が宿題を返してくれるたびに、「よくできました」のシールがついているだろうかと、不安のあまり汗をかいて縮こまっていたあの頃と同じことを、今も繰り返し続けていたはずだ。

わたしは、やっとのことで口を開いた。

「問題、ですか？　どんな問題でしょう？」

「ほんとうに知りたいかね？」

「さあ、知りたいかといわれても……。うかがわなくてはならないような、感じはしますが」

「ああ、たしかに知っておく必要がある」とバドはいった。

CHAPTER

2

＋ 自分だけが気づいていないこと

「君には問題がある」

バドは続けた。

「そのことは職場の人間も知っているし、奥さんも知っているし、義理のお母さんも知っている。そしてご近所の人たちも知っている」

温かい笑顔だった。

「問題なのは、君自身がそのことに気づいていないということだ」

言葉もなかった。何が問題なのかもわからないのでは、自分に問題があるかどうかなんて、わかりようがないじゃないか。

「どういう意味か、よくわからないのですが。あなたは、あのう……そのう……」

バドが何をいおうとしているのか、まるで見当もつかなかった。

「それでは、まず、こんな例を考えてみよう」

バドは、まるで楽しんでいるようだった。

＋誰にも気づかれないと思ってやっていること

「ちょっと思い出してみてほしいんだ。

君が、家に帰って奥さんに車を渡さなければならなかったあのとき、車を渡す前にガソリンを満タンにしておくチャンスがあったのに、君は、ガソリンを入れるくらいのことは奥さんにだって簡単にできると考えて、結局タンクを空《から》にしたまま家に帰った」

何でそんなことを知っているんだ？

「あるいは、野球場に連れていってあげると子どもに約束していたのに、最後の瞬間になって、何かいいかげんな口実を作って取りやめたときのこと。

もっと楽しいことがしたくなったというだけの理由で、約束を反故《ほご》にした」

どうして知ってるんだ？

「でなければ、やはり子どもと約束して、野球観戦に連れてはいったものの、子どもに対して恩着せがましくふるまったときのこと」

それは、そのう……。

「それとも、子どもが幼かった頃に本を読んであげたときのこと。君はページを飛ばしてずるをした。いいかげんイライラしていたし、どうせ子どもには気づかれないと思ったんだ」

まさにその通り。それに、あの子は気づかなかったじゃないか。

「あるいは、障害者専用の駐車スペースに車を駐車したときのこと。まったくの下司野郎《げす》だとは思われたくなかったから、足を引きずって歩いてみせた」

それは嘘だ。そんなことはしてない。

「それとも、やはり障害者専用スペースに車を止めて、わざと車から走り出したときのこと。とても重要な用事があって、どうしてもそこに止めざるをえなかったんだっていうことが、みんなにわかるようにね」

ああ、これは身に覚えがある。

「あるいは、夜、車を運転していて、すぐ後ろの車がライトをハイ・ビームにしっぱなしだったので、その車をやり過ごしてから、同じようにライトをハイ・ビームにして仕返ししたときのこと」

だからなんだというんだ？

「さらに、自分が仕事をするときのやり方を、振り返ってみてほしい」

バドの言葉は、勢いを増した。

＋無能な部下に、「我慢」してつき合っている？

「他の人たちをおとしめたりしたことはないだろうか。

周りの人たちをひどくとっちめたり軽蔑したり、のらくらぶりや無能さをさげすんだりしたことはないだろうか」

「たしかに、そういうことはあるかもしれませんが、しかし……」

わたしは口ごもった。たしかに身に覚えはある。どうやらバドは、お見通しのようだ。

「あるいは、人を丸め込もうとしたことは、ないかな？」

バドは続けた。

「部下たちに耳ざわりのいいことやおためごかしをいって、心の中では軽蔑しながら、自分の望み通りにさせようとしたりは、していないか？」

これはこたえた。

「部下を公正に扱うよう、懸命に努力しているつもりですが」

「きっと、そうに違いないと思う。だが、ここで一つ聞いておきたい。『部下を公正に扱っている』とき、君自身はどんなふうに感じているんだろう？軽蔑したり手荒く扱っているときと、どこか違いがあるんだろうか？心の奥底の何かが違っていると、いえるだろうか」

「おっしゃっていることがよくわからないのですが……」

時間を稼がなくては。

「つまりこういうことだ。君は周りの人のことを、『我慢』しなくてはならない存在だと思ってはいないだろうか。

正直いって、こんな部下にまとわりつかれていたのでは、そうとう頑張らないと、管理職としての成功はおぼつかない、と感じているんじゃないか」

「まとわりつかれる？」

わたしは問い返した。もっと、考える時間がほしい。

「よく考えてみてくれたまえ。わたしがいわんとしていることは、君にもわかっているはずだ」

バドは、ほほえみながらいった。必死で考えを巡らしてみたが、逃げ道はなかった。

わたしはついに、思っていることをぶちまけた。

「ええ、その通りです。部下には無能なのらくら者が多いと感じています。でも、だからどうしろというんです？　直接そんなことをいってみても、何の役にも立たないでしょう？　だから違うやり方で、部下を動かそうとしているんです。まるめ込みもするし、誘導したり、時には計略を巡らしたり。それに、常に笑顔でいるよう心がけています。正直、自分の振る舞いについては、誇りに思っています」

＋「君のやり方は間違ってる！」

バドは優しくほほえんだ。

「そうだろうと思う。しかしこのミーティングが終わったら、そう誇らしくは思えなくなる。多くの場合、君のしていることは、間違っているのだから」

わたしは耳を疑った。

「部下を公正に扱うことの、どこが間違っているというんです」

「君はそもそも、部下を公正に扱っていない。そこが問題なんだ。それに君は、自覚しているよりずっと大きなダメージを、会社に与えている」

「どういうことなんですか？　もちろん説明していただけることとは思いますが」

混乱もしていたが、実に腹立たしかった。いったいどういうつもりなんだろう。

「よろこんで説明させてもらうよ」

バドの口調は穏やかだった。

「自分にどんな問題点があるのか理解できるよう、君に力を貸すことができると思う。それに、どうすればその問題を解決できるのかを、学ぶ手助けもね。だからこそ、ここに来てもらったんだ。

わたし自身も同じ問題を抱えている。だからこそ、君に力を貸すことができるんだ」

バドはゆっくり立ち上がると、テーブルに沿って行ったり来たりしはじめた。

「まずはじめに、知っておいてもらいたいことがあるんだが」

CHAPTER

3 ＋ 何も見えない状態に陥るとき

「トム、君にはお子さんがいるね？」

単純な質問に、わたしはほっとした。顔にも血の気が戻ったような気がする。

「ええ、もちろん。一人います。トッドといって、一六歳になります」

「その子が生まれたとき、どんな気持ちになったか、思い出してほしい。子どもが生まれたことで、人生の展望が大きく変わったと感じたんじゃないかな」

バドがたずねた。

息子が生まれたときに自分が思い描いたさまざまなことについては、もうずいぶん長いあいだ、思い出そうとさえしていなかった。

あれからあまりにも多くのことが起こって、当時の記憶は、たくさんの苦々しい言葉や思い出に、埋もれてしまった。

息子には、注意欠陥障害（ＡＤＤ）という診断が下されていた。息子のことを考えると、わたしの心はどうしようもなく波立った。

息子はやっかい者でしかなかった。長いあいだずっと、やっかい者だった。

しかし、バドに問いかけられて、わたしは楽しかった頃のことを思い出した。

「ええ、覚えています」

わたしは、考え考えいった。

「あの子をそっと抱きしめ、希望に満ちた人生についてあれこれ思いを巡らし、自分にはもったいないような子どもだと感じ、この子が生まれてきたという事実に圧倒され、でも同時に、深く感謝していました」

こうして思い出すだけで、現在感じている苦痛も、束の間、和《やわ》らぐような気がした。

＋家族を守るために、仕事優先は当然？

「わたしもそうだった」

バドはうなずいた。

「わたしの最初の子どもが生まれたときの話をしよう。名前はデイビッドというんだがね。

わたしは当時まだ若い弁護士で、国内でも、一流中の一流といわれている法律事務所に勤め、毎日長時間働いていた。

担当している事案の中に、世界中の三〇の銀行が参加する大きな金融プロジェクトがあった。

その取引の主な貸し方（リードレンダー）が、うちの事務所のクライアントだったんだ。たくさんの弁護士が関わる複雑なプロジェクトだった。うちの事務所だけでも、世界各地の四つのオフィスの八人の事務弁護士が関わっていた。

このプロジェクトでは、多数の合意文書を基にして中心となる融資契約を作成することになっていたんだが、チーム内で二番目に若かったわたしは、これらの合意文書のうち、約五〇を作成する責任を負っていた。

大規模な、国から国へと飛び回るといった類のわくわくする取引で、扱う金額も大きく、関係者も抜きんでた人々だった。

そのプロジェクトがはじまった一週間後、妻のナンシーが妊娠していることがわかった。わたしたちは天にも昇る心地だった。

八ヵ月後の一二月一六日に、デイビッドが生まれた。

息子が生まれる直前、わたしは必死でプロジェクトをまとめ上げる作業を続けていた。これさえすめば、生まれたばかりの赤ん坊と一緒に三週間を過ごすことができる。最高の気分だった。

ところがある日、電話がかかってきた。一二月二九日のことだ。

その取引を率いるパートナーからの電話だった。サンフランシスコで開かれる全員参加のミーティングに出てもらいたいというんだ。

『どれくらいかかりますか』

わたしはたずねた。

『この取引が完了するまでだ。三週間かもしれないし、三ヵ月かもしれない。完了するまではサンフランシスコにいてもらうことになる』

わたしはすっかり打ちのめされた。妻と息子をバージニア州アレキサンドリアの自宅に二人だけ残していくのかと思うと、たまらなかった。

それでも、ワシントンでの仕事を二日がかりでまとめると、しぶしぶ、サンフランシスコ行きの飛行機に乗った」

＋なぜ、自分だけが「蚊帳《かや》の外」なのか

「妻や幼い子どもとは、空港の歩道のところで別れた。家族のアルバムを一冊小脇に抱えて、家族から身を引きはがすようにしてターミナルのドアをくぐった。

サンフランシスコのオフィスに着いてみると、他のメンバーはすでに全員そろっていた。ロンドンのオフィスから来たメンバーにすら、先を越されていた。

わたしは最後に残っていた二一階のゲストオフィスに入るしかなかった。本部や他のメンバーのオフィスは、すべて二五階だった。

とにかく、わたしはやる気を奮《ふる》い起こして、仕事に取り組んだ。

会議も交渉ごともパーティーも、ほぼすべてのことが、二五階で行われていた。

それなのに、わたしだけは二一階にいた。

仕事を抱え、家族のアルバムを抱えて、一人きりで。アルバムは、机の上に広げてあった。毎日、朝七時から午前一時まで働いた。一日三回、一階のロビーにあるデリカテッセンに降りて、ベーグルやサンドイッチやサラダを買った。すぐに二一階に戻って、書類を詳細に調べながら、それを食べた。

あの当時、あなたの目的は何ですかとたずねられたとしたら、こう答えたと思う。『我々のクライアントの利益を守り、取引を完了させるために、最良の文書を作り上げることです』と。

しかし、サンフランシスコでのわたしの経験は、これだけではすまなかった。

わたしが作成していた文書に大きな影響を及ぼす交渉ごとは、すべて二五階で行われていた。当然、これらの交渉ごとは、わたしにとっても非常に重要な意味を持っていた。どんなに些細な変更も、作成中のあらゆる文書に反映されなくてはならなかったからだ。

だが、わたしはあまり二五階に足を運ばなかった。

デリカテッセンのサンドイッチで一〇日も過ごした後になってはじめて、わたしは二五階の主会議室で、この取引に関わっているメンバー全員のために、二四時間食事が供されていることを知った。

誰一人、わたしにそのことを教えてくれなかったんだ。ショックだった。

それに、最新の変更を文書に盛り込めなかったというので、最初の一〇日間に、二度も厳しく叱責された。変更についても、誰一人教えてくれなかったんだ。

また、こうもいわれた。君ときたら、居場所がわからなくて、捕まえるのに苦労するよ、まったく困ったもんだ。

そのうえパートナーからは、わたしが想定すらしていなかった問題について、二度、意見を求められていた。ちょっと考えを巡らせれば、気づいていたはずのことで、わたしの責任の範囲内のことでもあった。まかせておいてくれればいいのに、とわたしは思った」

バドはそういうと、椅子に座った。

＋「自分が思い込んでいた現実」を検証する

「さて、ここで一つ聞きたいんだが。君は、今の話を聞いて、わたしがほんとうに『我々のクライアントの利益を守り、取引を完了させるべく、最良の文書を作り上げ』ようと努力していた、と思うかね」

「いいえ、そうは思えません」

バド・ジェファーソンのような人物を、こうもやすやすと攻撃していいんだろうか。

「実際、あなたがプロジェクトに集中していたなんて、とうてい思えません。むしろ、他のことに気を取られていらしたようにお見受けしますが」

「その通り。わたしは鋭意努力などしていなかった。それで、君は、パートナーもそのことに気づいていたと思うかね？」

「一〇日もあれば、はっきりとわかったんじゃありませんか」

「そうなんだ。パートナーにはわたしの状態がよくわかっていて、わたしは、何度もこっぴどく叱られた。

では、これはどうだろう。

パートナーは、わたしがプロジェクトをよくフォローしたと、賞賛するだろうか。

全力を尽くしたとほめるだろうか。

自分の力を最大限発揮し、他の人たちに力を貸したと、賞賛するだろうか」

「それはないでしょう。あなたは勝手に孤立して、そのせいでいろいろなものを危険にさらしてしまった。パートナーまでも」

「まったくその通りだ。問題は、わたし自身にあった。

取引にきちんと関わろうとせず、全力投球することもなく、きちんと見通しを立てようともせず、他の人たちに迷惑をかけていた。

でもあのとき、もし誰かに、集中力が欠けているとか、ちゃんと関わっていないと非難されたら、わたしはどう反応しただろう。相手のいうことがもっともだと思っただろうか」

わたしはその問いを反芻《はんすう》した。傍目《はため》には明らかだったはずなのに、当時のバドは、自分を他の人たちの視点から見ることができなかったようだ。

「いいえ。誰かにそんなことをいわれたら、防御の構えに入ったんじゃないでしょうか」

「そうなんだ。考えてもみてほしい。

サンフランシスコに来るために、生まれたばかりの赤ん坊を後に残してきたのは、誰だ？　わたしだ。

一日二〇時間近く働いているのは？　このわたし。

他の人たちの四階も下のフロアで一人で仕事をさせられているのは？　このわたし。

食事のような基本的なことすら教えてもらえなかったのは？　このわたし。

となるとわたしの目から見て、誰が事をややこしくしていることになる？」

「事をややこしくしているのは他の人たちだと思うでしょうね」

「そうなんだ。じゃあ、全力投球するとか、しっかり関わるとか、見通しをつかむといった点についてはどうだろう？

わたしの目から見れば、自分は全力投球しているもいいところ、この取引に一番集中して取り組んでいるのは、わたし自身なんだ。

他の人の抱えている問題など、わたしの問題に比べれば些細なものだ。にもかかわらず、一生懸命働いているじゃないか」

「たしかにそう思われたでしょうね」

わたしは椅子の背にもたれると、うなずいた。

＋見えなかった「問題」に気づく

「さて、それでは」

バドは再び立ち上がり、歩き回りはじめた。

「さっきの問題に戻ろう。

わたしは仕事に集中せず、ちゃんと関わろうとせず、見通しを把握することなく、他の人たちに迷惑をかけていた。これはすべて事実だし、問題でもある。大きな問題だ。

だが実は、もっと大きな問題がある。今日は、この問題について話し合いたいと思う」

わたしはバドの次の言葉を待ち受けた。

「もっと大きな問題というのは、

自分が問題を抱えているということが、わたしには見えていなかった、という点なんだ」

バドは言葉を切り、わたしのほうに身をかがめた。低く真剣な口調だった。

「たとえば、仕事に全力投球しないといった類の問題を解決するには、まず最初に、より大きなこの問題をなんとかしなくてはならない。

自分が全力投球していないという事実に当人が無自覚な現状をどうにかしなければ、問題は解決できないんだ」

バドの話にすっかり引き込まれていたわたしは、突然居心地が悪くなり、再び自分の顔がこわばりはじめるのを感じた。

つまりバドは、わたしがその大きな問題を抱えていると、思っているわけだ。

「実は、わたしがサンフランシスコで経験したこのまったく何も見えていない状態には、ちゃんと名前がついているんだ。

哲学者はこれを、『自己欺瞞《じこぎまん》』と呼んでいる。

でもザグラムでは、もっとくだけたいい方をしている。『箱の中に入っている』というんだ。

つまり、自分を欺《あざむ》いているときには、わたしたちは『箱の中』にいるというわけだ。

この箱について、これからいろいろと学んでいくわけだが、まず手はじめにこう考えてみよう。

あのときサンフランシスコで、ある意味わたしは『囚《とら》われていた』。

自分が抱えているとは思いもしない問題、自分には見えない問題を抱えていて、その結果、『囚われていた』んだ。

わたしは、物事を自分自身の狭い視点からしか見られず、仕事に集中していないという言葉に対して激しく反発した。

これはわたしが、ぴったりと閉じた箱の中に入り込み、周りから遮断されて、何も見えなくなっていたからなんだ。わかるかな」

「ええ、わかります」

わたしは、バドの経験にいっとき思いを巡らし、答えた。

「自己欺瞞は、組織の至るところに存在する」

バドはいった。

「たとえば、君自身の仕事での経験を振り返ってみて、ほんとうにやっかいだった人物を思い浮かべてみてほしい。共同作業をするうえで、どうしようもなく邪魔だった人物といってもいい」

簡単だ。前の会社のCOO（最高業務執行責任者）、チャック・スターリその人。まったくあいつはひどい奴だった。自分のことしか考えないんだから。

「ああ、たしかにそういう人がいました」

「さて、そこで質問だ。

本人は、自分に問題があると思っていただろうか」

「いいえ、絶対にそんなことはありません」

「そうだろう」

そういうと、バドはわたしの真正面で立ち止まった。

「えてして、問題がある人物自身には、自分に問題があるということが見えなくなっている。

組織が抱えているさまざまな問題の中でも、これはもっともありふれていて、もっともダメージの大きい問題なんだ」

バドは椅子の背に手をおいて、椅子に寄りかかった。

「自己欺瞞、あるいは箱。これこそが大問題なんだ」

バドは口をつぐんだ。どうやら、ここがもっとも重要なポイントであるらしい。

「当社では、我々トップの戦略的方針として、個人や組織の中の自己欺瞞をなるべく小さくしようとしている。なぜこの問題がそれほど重要なのか理解してもらうために」

というと、バドはまた歩き回りはじめた。

「以前、医学の世界で起きた問題を紹介しよう」

CHAPTER

4

＋

さまざまな問題のもとになっている一つの問題

「イグナス・ゼンメルヴァイスという名前を、聞いたことがあるだろうか」

バドがたずねた。

「いいえ。病気か何かの名前ですか」

バドはくつくつ笑った。

「いや、違う。いい線はいっているがね。一八〇〇年代半ばにヨーロッパで活躍した産科医なんだ。ウィーン総合病院に勤務していた。

この病院は重要な研究病院だったんだが、産科病棟の女性患者の死亡率がそら恐ろしいまでに高かった。そこでゼンメルヴァイスは、事の真相を突き止めようとした。

特に、彼が勤務していた第一病棟では死亡率が一割にのぼっていた。つまり、出産を控えた女性の一〇人に一人が死んでいったわけだ。考えられんだろう?」

「わたしなら、その病院には絶対に妻を近づけなかったでしょうね」

＋問題の「原因」を追究する

「実際、この病院の評判はひどいものだった。死亡患者に見られた一連の症状は、『産褥熱《さんじょくねつ》』と名付けられた。その頃の医学では、対症療法を施すしかなかった。

炎症が起きれば、よけいな血がたまっているせいだといって、蛭《ひる》に血を吸わせたりした。呼吸が困難なのは空気が悪いせいだから、風通しをよくしなくては、などなど。

しかし、効果はまるであがらなかった。この病にかかった女性の半数以上が、数日のうちに死んでいった。

第二病棟の死亡率は二パーセントだった。これだって十分に恐ろしい数字だが、ゼンメルヴァイスが勤務していた病棟の一〇パーセントに比べれば、はるかにましだった。

ゼンメルヴァイスは、次第にこの問題にとりつかれていった。

そして、いろいろと条件を変えて、原因になりそうなものすべてについて検討を重ねたが、答えは見つからなかった。何をやってみても、死亡率が大きく変わることはなかった」

「ずいぶんがっかりしたでしょうね」

「ああ、そうだろうな。そうこうするうちに、ゼンメルヴァイスは四ヵ月にわたって他の病院で仕事をすることになった。

そして再びウィーン総合病院に戻ったとき、あることに気づいた。自分がいないあいだに、第一病棟の死亡率がかなり下がっていたんだ」

「ええっ?」

「そうなんだ、どうしてなのかはわからない。しかし、明らかに死亡率は下がっていた。

ゼンメルヴァイスは原因を突き止めようと、調査をはじめた。

そして、どうやら、死体を使った医学研究が死亡率に関係しているらしいことが、わかってきた」

「死体ですか?」

「ああ。ウィーン総合病院は教育研究病院だった。医師の多くは、死体を使った研究もすれば、生きている患者の治療にもあたっていた。

別に、問題があるとは思われていなかった。細菌というものについては、まだまったく知られていなかったからね。症状しかわかっていなかったんだ。

ゼンメルヴァイスは、自分がいないあいだ代役を務めていた医師と自分自身の仕事のやり方を比べてみた。

すると、違いはただ一つ。ゼンメルヴァイスのほうが、死体を使った研究にはるかに多くの時間を費やしていたんだ。

ゼンメルヴァイスは、これらの観察をもとに、産褥熱に関する理論を展開した。細菌理論の先駆けとなるものだった。

医師自らの手によって、死体や他の病院の患者から健康な妊婦に何らかの『粒子』が運ばれているると結論して、さっそく、医師たちに、妊婦を診る前に塩素と石灰《せっかい》で徹底的に手を洗わせる、という方針を徹底させた。するとどうなったと思う?」

わたしは、早く答えが知りたくてたまらなかった。

「どうなったんです」

「死亡率はすぐに一パーセントまで落ちた」

「つまり、ゼンメルヴァイスは正しかったんだ」

わたしは声をひそめていった。

「病気を運んでいたのは、医師だったんですね」

「ああ。ゼンメルヴァイスは悲しげに述べている。『わたしのせいでどれくらいの患者が寿命を全うできずに墓に入らなければならなかったのか、まるで見当もつかない』。

こんなふうに思いながら生きていかなくてはならないとは、なんとも恐ろしい話だ。医師たちは、最善を尽くす一方で、思ってもみない病気を運んでいた。そして、患者はさまざまな衰弱症状を起こした。

しかし、それらに共通する原因を突き止め、たった一つ行動を起こしただけで、状況は劇的に改善した。すべての原因となったのは、後に細菌と呼ばれるものだったんだが……」

そういうと、バドは口を閉じ、テーブルに手をついて、わたしのほうに身をかがめた。

＋あなたの中の「自己欺瞞」がトラブルを呼ぶ

「組織の中にも同じような細菌が巣くっていて、みな、大なり小なりその細菌に汚染されている。その細菌がリーダーシップを台無しにし、さまざまな『人間関係の問題』を引き起こしているんだ。

しかし、その菌を隔離し、毒を消すことは可能だ」

「その細菌というのは、いったい何なんです？」

「さっき話していたことさ。自己欺瞞、あるいは箱だ。いや、正確には、自己欺瞞というのは病名であって、これからその原因となる細菌について学ぼうというわけだ。

自己欺瞞の原因もまた、産褥熱の原因と同じように、すべてを統合するある理論を発見することによって、明らかにできる。

我々が『人間関係の問題』と呼んでいる、一見まったくバラバラな症状、リーダーシップから動機付けまでのあらゆる問題を引き起こしているのは、たった一つの原因なんだ。

それさえ知っていれば、人間関係の問題をかつてないほど効率的に解決することができる。

こういった問題に取り組み、解決する明確な方法がちゃんと存在する。

問題を一つ一つ叩いていくのではなく、一撃で敵を倒す方法がね」

「それはすばらしい」

「そう、大発見といってていい。

そうはいっても、わたしの言葉をただ鵜呑《うの》みにしろというつもりはない。

君が自力でそれを見つけられるように、力を貸すつもりだ。

君にも、その理論についてきっちり理解してもらわないことには、この理論に基づく方針を、君の部署で確実に実行してもらうことはできないからね」

「わかりました」

「ではまずはじめに、わたしがザグラムに入ったばかりの頃に経験した、ある出来事について話そう」

CHAPTER

5

効果的なリーダーシップを支えるもの

「わたしは、一〇年間法律事務所に勤めた後、そこを辞めてシェラプロダクトシステムの国内外法務関連責任者に就任した。シェラのことは知っているかな?」

バドはわたしのほうを向いてたずねた。

ザグラムがハイテク製造業の頂点にまで上りつめられたのも、シェラが他に先駆けて開発したいくつかの工程を活用したからだった。

「もちろんです。シェラの技術によって、この業界は変わりました。現在、シェラはどうなっているんですか?」

「ザグラムに買収された」

「そうですか。それは知りませんでした」

「まあいろいろとあって、要するにザグラムは、シェラが所有するパテントなどの知的財産を買い取ったわけだ。

もう一六年になる。当時シェラのCOOだったわたしは、この取引の一環として、ザグラムに入社することになった。それまでわたしは、自分が加わろうとしているこの企業について、まるで知らなかった」

バドはコップに手を伸ばし、水を飲んだ。

「最初のミーティング」で与えられた課題

「強いていえばなんとなく謎めいた会社だと思っていた程度だ。しかしわたしは、すぐにザグラムの謎と向き合うことになった。正確には、二回目の大きなミーティングでね。

わたしは、ザグラムがシェラから買い取った主な知的財産について熟知していたので、そのままザグラムの経営陣に加わることになった。

最初のミーティングでは、難しい課題をいくつか与えられて、二週間後に開かれる予定のミーティングまでに完成させておくように、といわれた。

次のミーティングの前夜、残る課題はついにあと一つとなっていた。すでに夜は更け、わたしは疲れきっていた。自分がそれまでに成し遂げたことや、そのための努力を思えば、一つぐらい課題をし残したところで、大したことではないような気がした。だから、その課題には手をつけなかった。

翌日のミーティングで、わたしは成果を報告し、勧告を行い、得られた重要な情報を出席者に紹介した。そしてみんなに、そもそもが非常に困難な作業だったこともあって、これらの課題をこなすだけで精一杯で、一つだけ手つかずの課題が残ってしまった、と告げた。

それに続いて起こったことを、わたしは生涯忘れないと思う。

当時ザグラムの会長だったルー・ハーバートは、ケイト・ステナルードのほうを向いて、次回のミーティングまでにその課題を完成させてくるよう頼んだ。ケイトは当時、今のわたしと同じポジションについていた。

会議はそのまま続き、他の人たちが発表をした。わたしの一件については、一言も触れられなかったが、仕事をやり残していたのは、わたし一人だった。

わたしは一人で考え込んでいた。恥ずかしく、自分がとてもちっぽけに思えて、わたしはほんとうにこの会社の一員なんだろうか、果たして一員になりたいと思っているんだろうか、と自問し続けていた。

ミーティングが終わると、他のメンバーが談笑するなか、わたしはブリーフケースに書類をしまった。自分は余所者《よそもの》だと感じていたわたしは、冗談をいいあっている同僚の脇をすり抜け、押し黙って出口に向かった。

そのとき、わたしの肩に手が置かれた。

『バド……』

わたしは振り返った。

ルーだった。

ほほえみを浮かべ、優しく鋭い目でわたしをじっと見ている。

『君のオフィスまで、ご一緒してもかまわないだろうか』

ルーはいった。

『ええ、どうぞ。かまいませんよ』

驚いたことに、わたしはほんとうに、かまわないと思っていた。

バドはしばらく黙りこんでいた。

「ルーのことは知らないだろうね。まだこの会社に入ったばかりだから、ルーにまつわるいろいろな話も知らないと思う。

ともかく、ルー・ハーバートはいわばザグラムの伝説なんだ。全責任を一身に背負って、時には自分の弱点に打ち勝ち、あるいはまさにその弱点ゆえに、月並みで大した業績もない企業を買収し、それを怪物並みのすばらしいものに変えてきた。彼の時代にザグラムで働いていた人々は、皆ルーにはとても忠実だった」

＋相手をやる気にさせる「マネージメントの原則」

「ああ、わたしもルーの話なら何度か耳にしたことがあります。それに、前に勤めていたテトリックス社でも、トップの人たちがルーを賞賛しているのは耳にしていました。

特に、CEO（最高経営責任者）のジョー・アルバレスは、ルーを崇拝していました」

「ああ、ジョーならわたしも面識がある」

バドはうなずいた。

「ルーは業界の先駆者だと、ジョーがいっていましたよ」

「その通り、ルーは業界の先駆者だ。といってもジョーですら、ルーがどれほど先駆的だったのか、ほんとうのところは知らない。まさにその点について、これから学ぶわけだが……。ルーが引退してもう一〇年になるが、今でも月に数回、ルーは、わたしたちがどんなふうにやっているか、様子を見にくる。今でもオフィスを持っているんだ。まさにかけがえのない人物だ。

ともかく、わたしはこの会社に入る前から、ルーにまつわる伝説を耳にしていた。だから、ミーティングの後でわたしがどれほど不安になっていたか、君にもわかるだろう？

わたしは、ルーに侮辱されたような気がしていた。しかし同時に、ルーにどう見られているのかが、何よりも気になった。

そんなときに、ルーのほうからオフィスまで一緒に行こうと誘われたんだ。嬉しかったが、怖くもあった。

ルーはわたしに、引っ越しはうまくいったか、家族はちゃんと落ち着き、万事うまくいっているか、ザグラム社でのさまざまな課題に楽しく取り組めているか、とたずねてきた。奥さんが引っ越しのことで苦労したと聞いて、心を痛めている、何かわたしにできることはないか、電話を入れてみよう、ともいった。そして実際、その晩我が家に電話をしてきた。

さて、わたしのオフィスの前までくると、ルーは部屋に入ろうとするわたしの両肩を、ほっそりとした手で力強くぎゅっとつかんだ。そして、わたしの目をまっすぐに見据えた。年輪が刻み込まれたその顔は、優しい懸念に満ちていた。

『君がこの会社に来てくれてほんとうに嬉しく思っている。君には才能があるし、信用もおける。きっとチームに多大な貢献をしてくれるだろう。しかし、わたしたちの期待には、二度と背《そむ》かないでほしい』」

「ほんとうにそういったんですか」

信じられなかった。

「ああ」

「ルーにたてつくつもりはありませんが、いくらなんでも、ちょっといいすぎじゃありませんか。そんなことをいったのでは、たいがいの人はおびえてしまう」

「そう思うだろう？　ところがそうはならなかったんだ。ルーにそういわれても、わたしは腹が立たなかった。いや、それどころか刺激を受け、励まされたといってもいい。

だから思わずこういった。

『はい、二度とそんなことはしません。今後、絶対にご期待に背くようなことはしません』

感傷的に聞こえるだろう？　でも、ルーっていうのはそういう人なんだ。本に書かれているようなことは、まずしない。マネージメントの原則なんか、すべて破ってるんじゃないかな。本を見れば、絶対にやめておけと書いてあるようなことをやって、それで相手のやる気を引き出せるのは、ルーくらいのものだ。

ルーがやると、うまくいく。そこで問題なのが、なぜうまくいったのかということだ」

＋「相手が自分をどう感じているか」

的を射た質問だとは思ったものの、わたしは肩をすくめていった。

「なぜでしょうね。わたしにはわからない」

それから、思いついたように付け足した。

「たぶんあなたは、ルーが自分のことをほんとうに気にかけてくれていると、感じたんじゃありませんか。だからこそ、一歩間違えば脅威を感じたような状況でも、おびえずにすんだ」

バドはほほえむと、わたしのはす向かいの椅子に腰かけた。

「今君がいったことは、非常に重要なことだ。人間は、相手が自分のことをどう感じているか察知して、それに対して反応するんだ。

別の例を挙げてみよう。

数年前のことだ。六番ビルで二人の人間が働いていたんだが、この二人はいつも互いに角つきあわせていて、チームにとっても実にやっかいな存在になっていた。

ある日、その片方がわたしのところにやって来ていった。

『いったいどうしたらいいのか、まったくお手上げです。

レオンに、こっちのいうことに耳を傾けさせようとしても、聞きやしない。どうやっても、駄目なんです。どうも、自分がないがしろにされていると思っているらしい。

それで、いつもならそんなことはしないんですが、レオンの家族についてたずねてみたり、ランチに誘ったり、あらゆる手をつくしたんです。でも、まったく役に立ちませんでした』

『ゲイブ、ちょっと考えてみてくれないか。真剣に考えてみてほしいんだ。

君はレオンに対してあれこれアプローチしているわけだが、そうやって、自分が相手に関心を持っていることをわからせようとしているとき、君にとって一番関心があるのは、何なんだろう。

彼のことなんだろうか、それとも彼の目に自分がどう映っているかなんだろうか』

わたしがそういうと、ゲイブはちょっと驚いたようだった。

『おそらくレオンは、実は君が自分になんか関心を持っていない、と感じているんじゃないか。だって実際、君はレオンより自分に関心があるんだから』

ゲイブはついに、どこに問題があるのか、気づいたようだった。苦しい瞬間だったと思う。

その先をどうするかは、ゲイブ次第だった。

わたしが今日君と一緒にしようとしていることも、やはり君次第なんだ」

バドはわたしの考えを読みとろうとでもいうように、じっとこっちを見た。

＋妻が不機嫌なのは「夫の本音」を見抜いているから？

「もう一つ例を挙げよう。我が家での出来事だ。

何年も前のある朝、妻とわたしは口論をはじめた。

思い返してみると、妻は、わたしが前の晩に食器を洗っておかなかったことを知って、すっかり腹を立てていたんだな。

そしてわたしはといえば、その妻の逆上ぶりに驚いていた。わかるかな」

「ええ、そういったことは、うちでもありますから」

妻ローラとの長いいさかいの歴史、その最新の一幕である今朝の出来事が、わたしの頭をよぎった。

「しばらくすると、妻は部屋のあっちに行き、わたしはこっちにいるといった具合になった。

このちょっとした『議論』にうんざりしていたわたしは、会社に遅刻しそうだったこともあって、謝ってけりをつけることにした。

妻に歩み寄ると『ごめん』といい、身をかがめてキスをした。

唇が触れていたのは、わずか千分の一秒くらい。世界一短いキスだった。そんなに短くするつもりはなかったんだが、それが精一杯だった。

『ごめんなさいなんて、思ってないでしょ』

ゆっくりと体を起こしたわたしに向かって、妻は小声でいった。

妻のいう通りだった。

さっきの話と同じで、わたしの本心が透けて見えていたんだ。

わたしは、なんてやっかいな妻なんだと思い、不当な扱いを受けていると感じていて、その気持ちを、キスで覆い隠すことができなかった。

今もはっきり覚えている。ガレージに向かって廊下を歩きながら、わたしは首を振り振り一人つぶやいていた。

まったくなんて理不尽な妻なんだ。わびすら受け入れようとしないなんて。

そこで、問題なんだが、そもそも、妻が受け入れるべきわびは、存在したんだろうか」

「いいえ、なかったんじゃありませんか。だって奥さんのいった通り、あなたにはわびる気持ちはなかったんですから」

「そうなんだ。言葉ではごめんといっていても、謝ろうという気持ちはなかった。

わたしの本心は、わたしの声やまなざしや姿勢、妻がしてほしいと思っていることにわたしがどの程度注意を払っているか、そういったことに現れていた。だから妻は、それに対してああいったわけだ」

バドは言葉を切った。わたしは、今朝の妻との一件を思い返していた。

かつて妻の顔は、エネルギーにあふれ、他の人たちへの心配りに満ち、人生が好きでしょうがないといったふうに輝いていた。ところが今では、深く傷つき、あきらめに曇っている。

そして、鋭い言葉でわたしを非難し、結婚生活の不満をぶちまける。

「もう、あなたのことがわからなくなったわ。

それだけじゃない。あなたはわたしのことなんか、ろくに気にかけてくれていない、そんな気がするの。わたしはただのやっかいなお荷物でしかないのよ。

あなたに最後に愛情を感じたのがいつだったか、もう思い出せないくらい。わたしに残っているのは冷たい気持ちだけ。

あなたはすっかり仕事に埋もれている。

ほんとうのことをいうと、あなたに対しては何も強い感情を持てないの。持てたらいいと思うけれど、でもすべてがごまかしだっていう気がして。

たしかに同じ屋根の下に住んではいる、でも共に生きているわけじゃない。

同じ家の中で、それぞれの生活をバラバラに続けているだけなのよ。

すれ違ったときに、互いにこれからの予定を確認したりする。

ほほえんだりもするけれど、そんなのは全部嘘っぱち。まるで気持ちがこもっていないもの」

わたしは、バドの声でわれに返った。

＋「いっそ認められないほうがましだ」

「つまり人間は、相手が自分をどう思っているのかを感じることができる、これがポイントなんだ。

自分が相手から、なんとかしなくてはならない問題と見なされているのか、操《あやつ》られているのか、策略を巡らされているのかが、わずかな時間でわかってしまう。偽善だってかぎつけられる。見せかけの親切の下に隠れている非難を、感じ取ることもできる。そして往々にして、そういう相手の態度を恨《うら》めしく思う。

相手が歩き回り、あるいは椅子の角に腰かけて、話を聞こうじゃないか、君のことは大いに関心がある、といったふりをしたところで、家族についてたずねたとしても、あるいは仕事を効率よくしようとあの手この手を使ってみせたところで、関係ない。人は、相手が自分をどう見ているかを感じ取り、それに対して反応するんだ」

わたしは再びチャック・スターリのことを考えていた。

「ええ、おっしゃっていることはわかるような気がします。テトリックス社のCOOのチャック・スターリをご存じですか」

「身長一九〇センチ弱、赤みがかった髪の毛が少し薄くなっていて、細くてきつい目をした人のことだろうか?」

「そうです。あの人と話しはじめて一〇分もすると、彼の感じていることがわかってくるんです。あの人は、誰もかれも、つまり会社の人間すべてが自分に反抗していると感じているんです。


たとえばこんなことがありました。

自社製のあるソフトウェアのバグ(欠陥)を処理するために、げっそりするほどつらい作業を丸々一ヵ月にわたって続けなくてはならなかったんです。

その作業が終わった後で、CEOのジョー・アルバレスが電話会議(コンファレンスコール)を招集しました。バグの処理は困難を極め、わたしもおおかたの時間をバグ処理につぎ込んでいましたし、わたしが統括するグループ全体としても、八割方の時間をつぎ込まざるをえませんでした。ジョーは会議の場で、よくやってくれたとねぎらいの言葉をかけました。

でも、そこですべての賞賛を我がものにしたのは、誰だったと思います?」

「スターリ、かな?」

「そう、スターリだったんです。彼はわたしたちの功績なんか、認めもしませんでした。仮に認めていたとしても、まるで見下した態度をとるものですから、こんなことならいっそ認めてくれないほうがましだ、と思ったくらいでした。

スターリは、栄光を独り占めにしました。実際、すべての責任を負っていたのは自分だと思い込んでいたんでしょうね。はっきりいって、胸が悪くなりました。でも、こんなのはほんの一例にすぎないんです」

バドは興味深そうに耳を傾けていた。そのとき突然、わたしは自分のしていることに気づいた。新しいボスの目の前で前のボスをこきおろすなんて。今すぐに口を閉じろ。

「なんにせよ、スターリは今のお話にぴったりの例ではないでしょうか」

そういうとわたしは、椅子に深く腰かけなおした。

＋相手を献身的な気持ちにさせる

バドが何かショックを受けたとしても、外からはわからなかった。

「ふうむ、なかなかいい例だね。では、スターリとルーを比べてみよう。というよりも、この二人が他の人間に及ぼす影響を比べることにしよう。たとえば、わたしはルーに励まされて努力し、成果をあげたわけだが、君も同じように、スターリから励まされて努力し、成果をあげたことがあるだろうか？」

なんて簡単な質問なんだ。

「いいえ、全然。スターリに励まされて、きつい仕事をこなしたり、仕事にのめり込んでいったりなんていうことは、まったくありませんでした。

誤解のないように申し上げますが、わたしはどんな状況であろうと懸命に働きます。ですが、わたしだって自分のキャリアに気を配らなくちゃならない。スターリに力を貸そうと思って特に努力したりする人間なんか、一人もいないはずです」

「ところが一方で、ルーのように、対人関係では不器用であっても、他の人間を献身的な気持ちにさせたり、仕事に積極的に関わろうという気持ちを起こさせられる人間が、存在する。人間関係の最新のテクニックを知らなくても、関係ない。彼らはものを作り出す。そしてそれだけでなく、ものを作り出すよう、周囲の人を励ますことができる。

ザグラムのもっとも優れた指導者たちの中には、こういった人たちがいるんだ。

彼らがしたりいったりすることが、いつも正しいというわけではない。

にもかかわらず、誰もが一緒に働きたがる。彼らはちゃんと成果をあげられるんだ。

しかし一方で、君がいったチャック・スターリのような人々がいる。彼らは、これとは正反対の影響を及ぼす。

人とのやりとりや仕事のうえで最新の手法やテクニックを使ってみたところで、そんなことはまるで関係ない。周りの人々は、こういった人に、結局は反感を持ち、そのやり方に腹を立てる。

だから、こういう人たちは、リーダーとしては失敗してしまう。周りの人の反抗心をかき立ててしまうんだ」

「まさにその通りです。スターリは人当たりのいい経営者でした。でもわたしは、そんなスターリが嫌いでした。いつも、自分がまるめ込まれているような気がしていました。

それにしても、人間関係のテクニックにまったく価値がないといわれると、ちょっと……」

「そうじゃあない。そんなことをいうつもりはさらさらない。第一原則ではありえない、というだけの話だ。

わたし自身の経験からいって、いろいろな手法やテクニックも、ルーのような人たちが使えば、効力を発揮する。誤解を減らすことができるし、人間関係を円滑にできる。

しかし、スターリが君のいうような人物なら、どんな手法を使ったところで、たいして役に立たない。相手は、まるめ込まれているとか、手玉に取られていると感じるだけだ。

人間関係をスムーズにするための手法が威力を発揮するかどうかは、もっと深いところにあるものによって決まってくるんだ」

「深いところにあるもの?」

「そうなんだ。行動やテクニックより深いところにあるもの。わたしはそのことを、ザグラムでの二回目のミーティングがあったあの日のルーの行動と、それに対する自分の反応から学んだ。

そしてそれは、その翌日のミーティングの冒頭で、ルーが教えてくれたことでもあった。丸一日がかりの、ミーティングだったんだがね」

「ということは……」

「そう」

わたしが質問を口にする前に、バドが答えた。

「ルーは、今からわたしが君のためにしようと思っていることと、同じことをしてくれたんだ。その頃これは、『ルーのミーティング』と呼ばれていた」

そしてバドは、わたしのほうを見てニヤリとした。

「いったろう、わたしも君と同じ問題を抱えているんだって」

CHAPTER

6

＋

自己欺瞞に冒されている人ほど問題が見えない

「それで、その深いところにあるものっていうのは何なんです？」

わたしはすっかり好奇心にかられていた。

「さっきいったことだ。自己欺瞞。言葉をかえれば、箱の外にいるか中にいるかだ」

早く先を知りたかったが、わたしははやる心を抑えて、ゆっくりと相槌《あいづち》を打った。

「なるほど」

「これまで話してきたように、こちらが外見上何をしているかではなく、心の中で相手をどう思っているかが、問題なんだ。相手はそれに反応するんだから。

それでは、こちらが相手に対して抱く感情は、何によって決まるのかというと、こちらが相手に対して、箱の中にいるか外にいるかで、決まる。

いくつか例を挙げて、詳しく説明しよう。

一年ぐらい前、わたしはダラスからフェニックス行きの全席自由のフライトに乗った。空港にはかなり早く着いたので、搭乗の順番はわりと前のほうだった。

搭乗するときに、係員が、このフライトは満席にはなっていないが、空席はごくわずかだといっているのを耳にした。わたしは飛行機の前から三分の一くらいのところで運よく窓側の席を見つけ、胸をなでおろした。

ありがたいことに、隣は空席だった。まだ席を見つけていない乗客が次から次へと通路をやってきた。皆、いい席を見つけようとさっとあたりに目を走らせる。

わたしは隣の空いている席に書類鞄を置くと、書類を取り出して読みはじめた。

今も覚えているんだが、わたしは通路にやってくる人々を書類越しにちらちらとのぞき見ていた。そして、誰かが書類鞄を置いてある席に座りたそうにすると、書類をわざと大きく広げて牽制《けんせい》した。わかるかな」

「ええ」

＋「自分」と「自分以外の人たち」

「ではここで質問だ。傍から見て、わたしは飛行機の中でどんな行動をとっていたんだろう。たとえば、どんなことをしていた？」

「そうですねえ、一つには、まるで人でなしなことをしていましたね」

「たしかに」

バドはそういうなり、にっこりした。

「でも、わたしがたずねているのは、そういうことじゃないんだ。少なくとも今のところはね。飛行機の中でわたしがどのような行動をとっていたのか、具体的に挙げてほしい。外から見て、どんなことをしていたんだろう?」

「ええと、そうですね」

わたしは、機内の様子を思い描いてみた。

「あなたは席を二つ取っていました。たとえばこういうことですか」

「そうだ、その他に?」

「ええと……書類を読んでいました。隣の席に座りたがる人間が現れないように、他の人たちを見張っていました。それから、そもそも座席に座っていました」

「ああ、それくらいでいいだろう。ではもう一つ。こういうことをしているあいだ、わたしは席を探している人たちを、どのように見ていたんだろう。

わたしにとって、他の人々はどんな存在だったんだろう」

「そうですね、脅威だったんじゃないですか。やっかい者、問題の種、そんな感じでしょう」

「オーケー、その通り。ではわたしは、他の人たちの席を見つけたいという望みを、自分自身の望みと同様、当然のものだと思っていたのだろうか」

「とんでもない。自分のニーズがまず一番であって、他の人のニーズなんかは、ついでに考えればいいくらいのものにすぎなかったんです」

自分の不躾《ぶしつけ》さに驚きながらも、わたしは続けた。

「あなたは、世界は自分を中心に回っていると思っていた」

バドは声を立てて笑った。わたしのコメントを喜んでいるのは、明らかだった。

「ドンピシャ、その通り。まったくその通りだ」

くつくつ笑っていたバドは、やがて真剣な調子でいった。

「君のいう通りだ。あの飛行機の中でのわたしには、他の人間の望みやニーズを尊重する気がろくになかった。

さて、では次にこんな例を考えてみよう。六ヵ月前、わたしは妻と一緒にフロリダに旅行した。どういうわけか発券にミスがあって、わたしたちの席はバラバラになってしまった。飛行機はほぼ満席で、アテンダントは、わたしたちを一緒に座らせようと四苦八苦していた。

なんとか一緒に座れないかとあれこれ思案しながら通路に立っていると、一人の女性がざっと折り畳んだ新聞を手に、飛行機の後ろのほうからわたしたちのところにやってきた。

『あのう、隣り合った席をお望みなんですか。でしたら、わたしの席の隣が空いているみたいですけれど。わたしは、そちらの席に移ってもかまいませんよ』

さて、この女性について考えてみよう。この人はわたしたちをどう見ていたんだろう。やっかい者だ、脅威だ、問題だと思っていたんだろうか」

「いいや、まったく違いますね。あなたたちを、近くに座りたくて席を探している人たちだと見ていたと思いますよ。当たり前といえば当たり前かもしれませんが……」

「いや、まさにその通りだ。この女性と先ほどのわたしを比べてみよう。彼女は、わたしのように自分のニーズや望みを特別なものだと思っていただろうか」

「いいえ。彼女の目から見て、あなたのニーズと自分のニーズの重さはほぼ同じくらいだったはずです」

「そうなんだ」

そういうと、バドは会議用テーブルの向こうの端に行った。

＋「わたし」には「特権」がある？

「ここに、飛行機の中で空席の横に一人の人物が座っているという状況が二つある。どちらも書類を読んでいて、まだ席を探している人々を観察している。外から見ると、やっていることはこれだけだ」

そういいながら、バドはテーブルの端のほうにあるマホガニー製の大きな二枚の扉を開けると、大きなホワイトボードを出した。

「しかし、この一見似通った経験が、わたしとこの女性にとって実はどれくらい異ったものだったのかに、注目してほしい。

わたしは他の人々を見くびっていたが、彼女は見くびったりしなかった。

わたしは不安でピリピリしていらつき、脅威を感じ、怒っていたが、彼女のほうは、こういった感情は、まったく持っていないように見えた。

わたしは席に座って、書類鞄を置いてある席に座りたそうな人の欠点をあげつらっていた。あいつは陽気すぎるとか、あいつは陰気そうだとか、手荷物が多すぎるとか、おしゃべり好きだとか。

一方彼女は、他人をあげつらうのではなく、陽気であろうが陰気であろうが、荷物をいっぱい持っていようが、おしゃべり好きであろうが、ともかくどこかに座らなくてはならない人間なんだ、ということを理解していた。だから隣の席に、そしてこの場合は自分の席にも、他の人が座ったところで、まったく当然のことだと思った。

どちらの飛行機の乗客も、同じように希望やニーズや心配や不安を持っている人間であって、いずれにしても座席に座る必要があった。違うだろうか？」

「それはそうでしょう」

「にもかかわらず、わたしは自分を何か特権のある優《まさ》った人間だと考えていた。

つまり、自分や他人を見るわたしの目は、ひどくゆがんでいたわけだ。

そして、他の連中を低く見ていた。他人のニーズや望みは、自分のニーズや望みに比べれば大したことのないごく軽いものだとね。

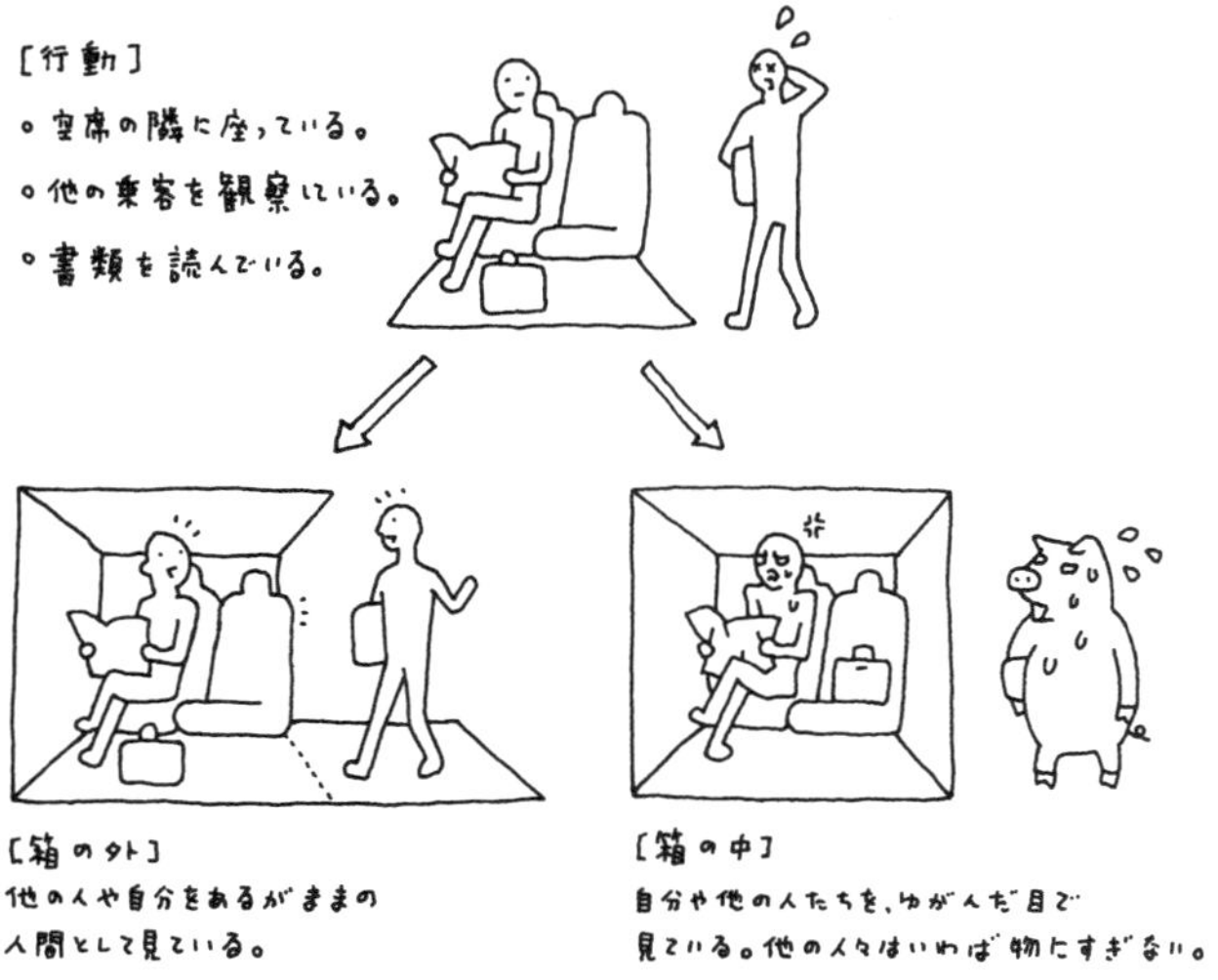
[行動]
・空席の隣に座っている。
・他の乗客を観察している。
・書類を読んでいる。
[箱の外]
他の人や自分をあるがままの
人間として見ている。
[箱の中]
自分や他の人たちを、ゆがんだ目で
見ている。他の人々はいわば物にすぎない。

しかもわたしには、自分がしていることが問題だということさえわかっていなかった。わたしは、自分自身の目を欺《あざむ》いていたんだ。いってみれば箱の中に入っていた。

一方、席を譲ってくれた女性は、他の人々や全体の状況をかたよることなくはっきりと見ていた。他の人をあるがままに、自分と同じ人間、同じようなニーズや望みを持った人間として、まっすぐに見ていた。つまり、箱の外にいたわけだ。

だからこの二人は、外見はまったく同じような状況だったにもかかわらず、内的にはまるで違った経験をしていたことになる。この違いが重要なんだ。このことを図にしてみよう」

バドはそういうと、ホワイトボードに向かって図を書いた。

「ざっとこういう感じかな」

バドは、わたしに図が見えるように、傍にどいた。

「見かけ上、わたしが何をやるにしても、たとえば席に座り、人を観察しながら新聞を読むにしても、それには基本的に二つのやり方がある。

他の人々をあるがままに、わたしと同じようにまっとうなニーズや望みを持った人々として見るか、あるいはそうでないか、この二つだ。

前にケイトがいっていたんだが、一つ目の場合には、人は、自分を他の人々に囲まれた一個人だと感じているのに対し、二つ目の場合には、物に囲まれた一個人だと感じている。

前者の場合、わたしは箱の外にいるが、後者の場合は、箱の中にいる。わかるかな」

＋ 箱の外にいるか、中にいるか

わたしは、一週間前のある出来事を思い出していた。わたしの部署の一人の人間が、非常にやっかいなことをしでかしたのだ。あの場合、箱の中と外という区別はどう使えるんだろう。あれには、バドがいっていることは当てはまらないんじゃないだろうか。

「そうですねえ。では、ある出来事についてお話ししますから、その場合どうなるのかを、教えていただけますか」

「いいだろう」

そういうと、バドは椅子に腰かけた。

「わたしのオフィスと同じフロアの少し先に会議室があって、わたしはよくそこに行って、考えごとをしたり戦略を練ったりします。うちの部署の人間は、その部屋がいわばわたしにとって第二のオフィスであることを知っています。

はじめの一ヵ月は、そのことで何回か部下と激しい口論にもなりましたが、今ではみな、その部屋を使うときには、必ずわたしに断るように気をつけています。

ところが先週、うちの部署のある人間が、その部屋を黙って使ったんです。

それだけじゃあない。その人物は、わたしがホワイトボードに書き留めておいたメモを、一切合切消してしまった。まったくひどい話です」

「いやあ、それはひどい。そんなことは、すべきじゃないな」

「そうでしょう？　わたしはかんかんになりました。

メモした内容をもう一度思い出して組み立て直すのは、大変でした。今でも、すべてをちゃんと再構成できたかどうか、はっきりしないんです」

わたしは、さらに先を続けようとした。

自分がすぐに相手をオフィスに呼びつけたこと。相手の差し出した手を拒み、座るようにともいわずに、今度あんなことをしたら新しい勤め口を探さなくてはならなくなる、といったことを。

だが、思い直した。

「このような場合、自己欺瞞はどう当てはまるんですか」

「ふうむ、いくつか質問に答えてもらえれば、自己欺瞞がどう当てはまるのか、答えられると思う。まず、その人物がしでかしたことに気づいたとき、君は相手にどのような感情や考えを持ったんだろう」

「そうですね……ちょっと注意深さが足りないな、と思いました。ほんとうのところ、不注意な人間なんです」

バドが続けてというふうにうなずいたので、わたしは付け加えた。

「それに、誰にもたずねもせずに会議室を使って、メモを消してしまうなんて、馬鹿だと思いました。でしゃばりで、能天気な人物だとも」

「たしかにそんな感じだね。他には」

「さあ。これくらいでしょうか」

「ではもう一つ。君は、その人物が何のために部屋を使ったのか、知っているかい?」

「いいえ。でも、だからどうだというんです。いずれにせよ、あの部屋を使うべきじゃなかった」

「おそらくね。では、もう一つ。君は相手の名前を知っているかい」

これには驚いた。しばらく考えてみたが、思い出せなかった。名前を聞いたことがあるのかどうかもわからなかった。

秘書は取り次ぐとき、相手の名前をいったろうか。それとも、握手をしようと手をさしのべたときに本人が名乗ったんだろうか。記憶の糸をたぐってみても、何も思い出せなかった。

でも、だから何だっていうんだ。わたしのほうが悪いとでも？

「いいえ、知りませんね。というか、思い出せない」

バドはうなずくと、あごに手をやった。

＋相手がどう感じたかを考えてみる

「さて、では次の質問だ。じっくり考えてみてほしいんだが、かりにその人物が、実際に不注意で、馬鹿で、無遠慮だったとしよう。それにしても、この事件が起きたときに君が相手を責めたほど、不注意で馬鹿で無遠慮な人間だったと思うかい」

「相手を責めたりはしませんでしたよ」

「口に出してはね。でも、その出来事以来、その人物と言葉を交わしたかな」

わたしは、氷のように冷たい自分の応対を思い出した。握手すら拒んだのだ。

「ええ、一度だけ」

われながら弱々しい声だった。

わたしの声の調子が変わったのに気づいたのだろう。バドも声を落とし、心を込めていった。

「君と会ったときの、相手の気持ちを想像してみてくれないか。相手は、君からどのような感じを受けただろう」

答えははっきりしていた。バットで殴られるよりも、応えたに違いない。

今の今まで、相手のことなどろくに考えていなかったのに、今になって、相手の声が震えていたこと、オフィスから出ていくときのあわてた、おぼつかない足取りなどが、思い出された。わたしは、自分がどれほど相手を傷つけ、相手がどう感じたかに、はじめて思い至った。今頃はさぞ不安にさいなまれていることだろう。部署の職員全員が、何が起こったのか知っているんだから、なおさらだ。

わたしはゆっくりと口を開いた。

「そうですね。今思えば、うまく対処できたとはいえないかもしれませんね」

「では、最初の質問に戻ろう。当時の君は、相手を実際よりも悪く見てはいなかったろうか。君の目にゆがみはなかったろうか」

別に答えに自信がなかったわけではないが、わたしはしばらく口を開こうとはしなかった。平静を取り戻したかった。

「ええ。おそらくわたしの目はゆがんでいたでしょうね。でもだからといって、相手がすべきでないことをした、という事実は変わらないでしょう?」

「ああ、まったく変わらない。そのことは後で取りあげよう。とにかく今は、一つだけ考えてみてほしい。

相手がしたことがよいことであれ悪いことであれ、君が相手を見る目は、さっきの飛行機の例でいえば、わたしの見方に近かったんだろうか、それとも、もう一人の女性の見方に近かったんだろうか」

わたしはしばらく考え込んでいた。

＋成功の原因を作っているもの

「こういうふうに考えたらどうだろう」

バドはホワイトボードの図を指さした。

「君は、相手を自分と同じ人間だと思っていたのだろうか。同じように希望もあればニーズもある人間として見ていたのか、それとも相手は単なる物、脅威、やっかい者、問題だったんだろうか」

わたしはとうとう口を開いた。

「物にすぎなかったんじゃないでしょうか」

「ではこの場合、自己欺瞞はどのように当てはまるんだろう？　君は箱の中にいたんだろうか、それとも外にいたんだろうか」

「たぶん、中にいたんでしょうね」

するとバドは、図を指さしながらいった。

「この点については、よくよく考えてみる必要がある。なぜなら、この違いこそが、ルーの成功、ザグラムの成功の秘密なんだから。

ルーは、いつも箱の外にいて、物事をまっすぐに見ている。人々をあるがままの人間として見てまっとうに扱うから、みんなそれに応えようとする。しかもルーは、そういう見方ができる人間が、他の会社と比べてはるかに多い会社を作る方法を見つけだした。

これが、ザグラムの成功の秘密なんだ」

たしかにすばらしいことのように聞こえる。それにしても、それだけのことでザグラムが際だった業績をあげているなんて、あまりにも単純すぎる。

「そんなに単純ではないでしょう。つまり、そんなに基本的なことがザグラムの秘密だとしたら、とうにみんなが真似をしているはずじゃないですか」

「誤解のないようにいっておくが、別に、ザグラムの成功にとって、他のことはまったくどうでもよかった、などというつもりはない。

頭の切れる人々や、経験豊富な人や長時間懸命に働く人、そういった人々をはじめとするさまざまなことにまったく価値が無いだなんて、そんなことはありえない。

ただ一つ、これだけはいえる。

ザグラムと同じように頭の切れる人や経験豊富な人を集めている会社はたくさんあっても、ザグラムほどの業績をあげている会社は、ほかにはない。なぜか。

それは、自分をあるがままの人間として見てもらえるとなると、頭の切れる人はさらに頭を働かせ、スキルを持った人はさらにそのスキルを発揮し、よく働く人はさらに懸命に働くという事実を、知らないからなんだ。

それに、これは肝に命じておいてほしいんだが、自己欺瞞というのは非常に難しい問題だ。この病に冒されていない会社などないといってもいいくらいだが、自己欺瞞に冒されている会社ほど、その問題が見えなくなっている。ほとんどの会社は、箱の中に囚われているといっていい」

バドはそういうと、コップに手を伸ばし水を飲んだ。

「ところで、その相手の名前は、ジョイス・マルマンというんだ」

「誰がです?」

「君が握手を拒んだ相手だよ。彼女はジョイス・マルマンというんだ」

CHAPTER

7 + 目の前の相手は「人」か、「物」か

「どうして彼女のことを知ってるんです?」

わたしは心配になった。顔にも、不安の色が出てしまった。

「そもそも、そんなことがあったなんて、どうして知っているんです」

バドは、わたしを元気づけるようにほほえんだ。

「建物が離れているからって、なにも知らないと思ったら大間違いだよ。それに、言葉というのはすごい早さで伝わるものだ。五番ビルのカフェテリアで昼食を取っていたときに、小耳にはさんだんだ。君のところの品質管理チームのリーダーが話しているのをね。実に印象深い出来事だったようだ」

わたしは再び落ち着きを取り戻しはじめ、顔からも、少しはこわばりをぬぐい去ることができた。

「彼女を個人的に知っているかといえば、ほんとうのところ、会ったことはない。

ただ、会社関係者の名前は、なるべくたくさん覚えるようにしているんでね。このところ会社が成長したので、次第に難しくなってきてはいるが」

わたしはすっかり感心してうなずいた。バドのように高いポジションにある人が、ジョイスのような下っ端の名前を覚えようとするなんて。ショックだった。

「君も、建物への入構証に貼る写真を撮ったろう」

わたしはうなずいた。

「経営陣は、その写真のコピーをすべて受け取る。そして全部記憶することはできないにしても、入社した人たちの顔や名前を覚えるように努力する。

少なくともわたしの場合、相手の名前に関心がないということは、一人の人間としての相手に関心がないということだ。名前は、いわば基本的なリトマス試験紙だ。

もっとも、逆は必ずしも真ならず。相手の名前を覚えたところで、やはり相手を物としてしか見ていない場合もある。

だが、相手の名前すら覚える気がないとしたら、それは、相手がわたしにとって単なる物でしかなく、わたし自身が箱の中にいるというしるしなんだ」

＋問題はどこにあるか

わたしは、バドの話を聞きながら、自分の部下を次々に思い浮かべていった。

わたしが統括する部署には三〇〇人ほどのスタッフがいるが、そのうちわたしが名前を知っているのは約三〇人。

そうはいっても、この会社に入ってまだ一ヵ月しか経っていないじゃないか。わたしは、心の中で反駁《はんばく》した。これでも精一杯やってるんだ。

しかし、心の底ではちゃんとわかっていた。

ザグラムで働きはじめて間がないというのは、いいわけにすぎない。ほんとうのところ、部下の名前など、覚えようともしなかった。つまり、人間として見ていなかったわけだ。

「まったくひどいことをしたものだと、お考えなのでしょうね」

わたしは、ジョイスのことを考えながらいった。

「わたしがどう考えるかではなく、君がどう考えるか、それが重要なんだ」

「わたしですか？　わたしはいわば、まっぷたつに引き裂かれているような気がしています。

一方では、ジョイスに謝るべきだと感じています。

でもその一方で、あの部屋に入って確認もせずに何もかも消してしまうなんて、彼女はそんなことをすべきじゃなかった、とも思っているんです」

バドはうなずいた。

「その両方が正しいということは、ありえないだろうか」

「なんですって。つまり、わたしが正しくもあり間違ってもいる、ということですか？」

「こう考えてみよう。ずかずかと会議室に入っていって、他人が書いたものを消してもかまわないものかどうかきちんと確認もせずに消すなんて、ジョイスはそんなことをすべきではない。そうだね？」

「はい」

「まったくもっともな話だ。それに、そういうことが起きたら、彼女に二度とそんなことをしてはいけないと告げるのは当然だと、君はそう思っている」

「ええ、当然だと思いますが」

「わたしも賛成だ」

「でしたら、わたしの何が悪かったんです？　わたしは、彼女に注意したんですよ」

「そう、たしかに注意した。しかしここで問題がある。ジョイスに注意したとき、君は箱の中にいたんだろうか、それとも外にいたんだろうか」

ここでピンときた。

「なるほど、わかりました。わたしはあながち悪いことをしたわけではなかった。ただし、正しいことを間違ったやり方でしてしまった。わたしはジョイスを物として見ていた、つまり、箱の中にいたと、そうおっしゃりたいんですね」

「まさにその通り。君が一見正しいことをしたとしよう。たとえそれが正しいことでも、箱の中にいて行った場合には、非生産的な反応を引き起こすことになり、箱の外にいるときとはまったく違う結果を招く。

というのも、人はまず、相手の行動にではなく、相手のありよう、つまり相手が自分に対して箱の中にいるか外にいるかに対して反応するんだから」

なるほど、それはわかった。でも、そんなことが職場でも成り立つんだろうか。

＋仕事に対する情熱をかき立てるもの

「何か疑問はあるかな」

「どうしても、一つわからないことがあるんですが」

「ああ、どうぞいってみてくれたまえ」

「さっきから考えているんですが、他の人々を常に人間として見ながら事業を進めるなんて、いったいどうやったらできるんです？　つまり、やりすぎっていうことはないんですか。たとえば家庭の中でなら、相手を人として見るというのはわかります。でも、職場でも同じようにするというのは、ちょっとばかり現実味に乏しいような気がします。断固たる行動を敏速にとらねばならないといった場合もあると思いますが」

「なるほど。いや、率直に疑問をぶつけてくれて嬉しいよ。ちょうどそのことを、これから話そうと思っていたんだ。

まず、ジョイスのことを考えてみよう。君のやり方だと、彼女は二度と会議室を使わないだろう」

「おそらく二度と使いませんね」

「君は、二度と会議室を使うなといいたかったんだから、目的は達成されたわけで、彼女との話はうまくいったと思っている」

「ええ、そう思いますが」

これなら、自分がやったことについて、それほど深刻に考えなくてもよさそうだ。

「なるほど。では、会議室以外のことについて考えてみよう。

どうだろう？　自分のいいたいことを箱の中から伝えたことで、彼女の仕事に対する熱意や創造性をかき立てることは、できたろうか、それともできなかったんだろうか」

その質問は、突然わたしに迫ってきた。その瞬間、わたしは、ジョイスに対してまるでチャック・スターリのように振る舞っていたということに気づいた。

スターリは、わたしが知る限りいつも箱の中に入っていた。そしてわたしは、スターリと働くことでいかにこちらのやる気がそがれるかを、すぐに悟ったのだった。

これじゃあ、スターリと同じじゃないか。わたしはすっかり憂鬱《ゆううつ》になった。

「たしかに。会議室の件は解決しましたが、それと引き替えに別の問題を引き起こしてしまったようです」

バドはうなずいた。

「そうなんだ。その点を十分に考えてみる必要がある。しかし、君の質問は、実はもっと深いところにつながっているんだ。どういうことかというと……」

バドはまた立ち上がり、右へ左へと歩き回りはじめた。どうやら、わたしに何か質問がしたいらしい。やがて立ち止まると顔に手を当てて考え込み、ようやく口を開いた。

「君がこれまでに理解した内容について説明……」

バドはそういいかけて、また黙り込んだ。

「ためらったりしてすまない。君の疑問には非常に大きな意味がある。だから、できる限り君の助けになりたいんだ。では、こう考えてみよう。

君の疑問には、人が箱から出ているときは行動がソフトになり、箱の中にいると行動がハードになるはずだ、という前提がある。

だからこそ、現実に、常に箱から出たままの状態で事業を進めていけるんだろうか、という疑問が生じる。

では、これについてもう少し細かく考えてみよう。

箱の中にいるか外にいるかで、行動が、変わってくるものなんだろうか」

＋「行動」は問題じゃない

わたしはしばらく考え込んだ。たしかではなかったが、箱の外にいるか中にいるかで、行動が違ってくるような気がした。

「さあ、そうじゃないんでしょうか」

「では、この図を見てみよう」

そういうと、バドは先ほどホワイトボードに書いた図を指さした。

「この飛行機で席を譲ってくれた女性とわたしの行動は、外からは同じに見える。だが、私たちの心の中は、まるで違っていた。わたしが箱の中にいたのに対して、彼女は外に出ていた」

「ええ」

「さて、当たり前のようだが、とても重要な質問をしよう。行動は、この図のどこに書かれているかな？」

「上ですね」

「では、箱の中とか外といったことはどこに書かれている？」

「その下です」

「その通り」

バドはそういうと、こちらを向いた。

「つまりどういうことになる?」

何をいいたいんだろう?　わたしには、どう答えたらよいのかわからなかった。

「つまり、こういうことなんだ。この図を見ると、方法は二つある。……ところで、何をする方法が二つあるんだろう?」

図をしげしげと見ているうちに、わたしはあることに気づいた。

「ああ、なるほど。何か行動を起こすときに、方法が二つあるんですね」

「そこでもう一つ質問だ。今、問題にしている違いというのは、基本的に行動の違いなんだろうか、それとも行動より深いところでの違いなんだろうか」

「深いところでの違いです」

「さて、ではここで、また少しルーの行動について考えてみよう。

彼のわたしに対する行動は、どういったものだったんだろう。

いいかい、ルーは公のミーティングで、つまり同僚の目の前で、わたしが完成しそこねた仕事をわたしから取り上げた。それ以外の仕事はすべてやり遂げていたにもかかわらずだ。

そしてさらに、二度と期待に背かないようにしてくれといった。

この行動を君はどう見る?　ソフトだろうか、ハードだろうか」

「もちろんハードでしょう。ハードすぎるかもしれない」

「その通り。ところで、そのときルーは箱の中にいたんだろうか、それとも外にいたんだろうか」

「外ですね」

「で、君の場合は？　君のジョイスに対する行動はどうだろう？　ソフトだろうか、ハードだろうか」

「やはりハードですね。おそらくハードすぎる」

そう答えながら、わたしは椅子の中できまり悪さに身じろぎした。

＋箱の外に出たままでいられるか

バドはわたしの斜め前の椅子に腰を下ろした。

「これで君にもわかったと思う、ハードであるにしても、二つのやり方があるんだ。同じようにハードなことをする場合でも、箱の中にいることもできれば、外にいることもできる。行動が違うんじゃない。ソフトな行動であろうがハードな行動であろうが、それをしている自分の状態が違うんだ。

あるいはこう考えてみてはどうだろう。

箱の外にいるときには、他の人たちを人間と見ているわけだね？」

「そうです」

「では質問だ。人間は、いつもソフトな物言いばかりを必要としているんだろうか」

「いいえ、それはないでしょう。時には少しばかり厳しい励ましが必要になることも」

そういうと、わたしは弱々しい笑みを浮かべた。

「そうだ。君とジョイスの件がいい例だ。

誰かが彼女に、他の人がホワイトボードに書いたものを消してしまうのはよくない、と伝えなくてはならなかった。そういうことを伝えるのは、行動としてはハードだ。

重要なのは、こういったハードな内容を伝える場合にも、箱の外に出たままでいられる、ということなんだ。

ただし、それができるのは、君が相手を一個の人間として見ているときに限られる。箱の外にいるということは、そういうことなんだ。

それともう一つ、厳しいという点では、ルーの言葉も君の言葉も同じわけだが、では、より生産的な対応を引き起こすのはこのどちらなんだろう」

再び、チャック・スターリの記憶が脳裏をかすめた。チャックの下で仕事をしているあいだに、わたしのやる気はどれほどそがれたことか。わたしも、ジョイスのやる気を大いにそいでしまったに違いない。

「間違いなく、ルーの言葉でしょうね」

「わたしもそう思う。だから、ハードな行動についても選択肢は二つあるわけだ。

ハードな態度をとることで、生産性を上げて人々のやる気を引き出すか、ハードな態度によって、反抗や悪感情を引き起こすか。

どちらも態度はハードなんだから、箱の中にいるかいないかの違いだけだ」

バドは腕時計を見た。

「おや、もう一一時半だ。どうだろう。君さえよければ、一時間半ほど休憩を取りたいんだが」

びっくりした。二時間半も経っていたなんて、信じられなかった。ともかく、休憩できるのはありがたい。

「ええ、喜んで。ということは、ここには一時に来ればいいわけですね」

「ああ、そういうことにしよう。今までのことを、きちんと心に留めておいてくれたまえ。人が他の人々にどのような影響を及ぼすかは、行動よりも深いところにあるものによって決まる。

箱の中にいるか外にいるかが問題なんだ。

君はまだ箱について多くを知っているとはいえないが、とにかく、箱の中にいると、現実を見る目がゆがんでしまう。自分自身のことも他の人々のことも、はっきりと見ることができなくなる。自己欺瞞に陥るわけだ。そしてそこから、人間関係のあらゆるごたごたが起こってくる。

そのことを念頭において、一時までのあいだに、あることをしてほしい。

ここで働いている人たちについて、もう一度考えてみてほしいんだ。自分の部下についても、それ以外の人についても。

そしてそういった人々に対して、自分が箱の中にいるのか、外にいるのかを問い直してほしい。

ただし、相手を一つの集団として見てはいけない。一人一人について考えるんだ。ある人に対しては箱の中にいるが、別の人に対しては箱の外に出ているということもありうる。いいかな」

「はい。どうもありがとうございました。とても興味深いお話でした。いろいろと考えさせられました」

わたしはそういうと、立ち上がった。

CHAPTER

8

＋ うまくいかないのは自分だけが悪いのか？

八月の厳しい太陽の下、わたしはケイト・クリーク沿いの道を歩いていた。ミズーリ州のセントルイスで育ち、ずいぶん長いあいだ東部でも暮らしてきて、暑さにはかなり強いはずのわたしだが、コネチカットの夏の暑さと湿度には、いつまで経っても慣れることができずにいた。だから、八番ビルの近くの木陰に入ったときには、ほっとした。

だが、わたしの心は相変わらずむきだしのままだった。

わたしは、まったく未知の領域に踏み込んでいた。

バドのミーティングでは、これまで職場で経験してきたことは、何一つ役に立たなかった。わたしの自信はすっかりぐらつき、数時間前に自分はザグラムの出世頭だと思っていたのが嘘のようだ。

しかし同時に、自分がこれからしようとしていることについて、これほど気持ちよく考えを巡らせられたのも、はじめてだった。

＋一緒に仕事をしたくないタイプ

「シェリル、ジョイス・マルマンのブースはどこか、知りたいんだが」

秘書の横を通り過ぎながら、わたしはそうたずねた。

オフィスに入り、机の上にノートを置いて振り返ると、心配そうな顔をした秘書が、ドアのところに立っていた。

「何かあったんでしょうか。ジョイスがまた何かしでかしたんですか」

わたしを気遣っての言葉のようにも聞こえるが、秘書の態度から、実はジョイスを心配しての言葉なのははっきりしていた。

わたしは愕然《がくぜん》とした。なんてことだ、秘書は、わたしが誰かを呼べば、それはすなわち、その人物が何か悪いことをしでかしたからだと思い込んでいる。

ジョイスと会うのは後にして、ともかくまず秘書と話をしなくては。

「いや、別に何かしでかしたわけじゃない。それより、ちょっとこっちに来てくれないか。話しておきたいことがある」

ためらっている秘書を、わたしは促した。

「さあ、座って」

そして机を回り込むと、秘書のはす向かいに座った。

「わたしは、ここに来てまだ間もない。君とも、それほど長いあいだ一緒に仕事をしてきたわけではないが、ぜひ、聞いておきたいことがあるんだ。率直に答えてくれたまえ」

「はあ、わかりました」

曖昧な返事だった。

「わたしと仕事をして、よかったと思っているかね。つまり、これまで一緒に仕事をしてきた上司と比べて、わたしはよい上司といえるだろうか」

秘書はもじもじと体を動かした。やっかいな質問だと思っているのは、明らかだ。

「もちろんですわ」

少しばかり熱がこもりすぎていた。

「もちろん、楽しくお仕事させていただいています。どうしてそんなことを?」

「いや、ちょっとどうかなって思ったんでね。つまり、わたしと仕事をして、よかったと思っているわけだ」

秘書は曖昧にうなずいた。

「今までの上司と同じくらいには、よかったと思っている」

「ええ、もちろんです」

秘書は作り笑いを浮かべると、机のほうを見た。

「一緒にお仕事させていただいた方は、みなさんいい方ばかりでしたわ」

わたしのせいで、秘書はとてもやっかいな状況に立たされていた。まったく不公平きわまりない質問だ。

しかし、知りたいことはわかった。秘書はわたしのことをあまりよく思っていない。何気なさを装ったりそわそわと落ち着かない様子からも、それがわかる。だが、わたしはそういう秘書に怒りをおぼえたりはしなかった。

一緒に仕事をするようになってはじめて、すまないと思った。それに、少しばかりばつが悪かった。

「率直に答えてくれてありがとう。だがわたしは、どうも自分があまり一緒に仕事をしたくないタイプの人間だったんじゃないかと思いはじめていてね」

秘書は何もいわなかった。

顔を上げたわたしは、秘書の目に涙らしきものが浮かんでいることに気づいた。たったの四週間で秘書を泣かしてしまうなんて、最低の下司野郎だ。

「すまなかったと思っている。ほんとうにすまなかった。わたしにも、いくつか正さねばならないことがあるようだ。

自分が他の人たちに対してどんなことをしてきたか、まるで気づいてなかったんだ。まだよくはわかってはいないんだが、わかろうと努力はしている。

他の人たちをどれほど見下してきたか、人間と見なしてこなかったか。わたしが何のことを話しているか、わかるかな?」

驚いたことに、秘書は、もちろんというようにうなずいた。

「わかるんだ」

「もちろんですわ。箱や自己欺瞞の話でしょう。この会社の人間なら誰でも知ってることです」

「バドは君とも話をしたのかい」

「いいえ、バドではありません。バドは、新しく採用された最高幹部としか会いません。でも講座があって、社員全員が、そこで同じような内容を学ぶんです」

「ということは、箱のことや、他の人間を人間と見ているか、物と見ているかといったことについては、君も……」

「ええ、自分への裏切りや共謀や箱から出ること、成果に気持ちを集中させるといったことについても」

「そういったことについては、まだ教わっていないみたいだ。少なくとも、バドはそんなことはいっていなかった。それは何なのかな、その自分への裏切りっていうのはどういう……」

「自分を裏切るんです。つまり、わたしたちがそもそもどうして箱の中に入ってしまうかという話なんですけれど。でも、ミーティングを台無しにしたくはありませんわ。まだはじまったばかりのようですし」

これじゃあ、わたしは完全な下司野郎だ。人を物扱いするだけでもひどい話なのに、彼女が箱のことを知っていたんだとすると、これまでずっと、わたしがどういうつもりなのか、正確に見定めていたに違いない。

「いやはや、君からみれば、わたしは最低の大馬鹿者だったんだろうな」

「最低ではありませんわ」

秘書はほほえんだ。

この言葉を聞いて気が楽になったわたしは、声を立てて笑った。一緒に働きはじめて四週間、一緒に笑ったのはこれがはじめてだった。そしてその笑いが、このなんともばつの悪い瞬間を救ってくれた。

「どうすればいいのかは、おそらく、今日これから学ぶことになるんだろうな」

「あなたは、ご自分で思っていらっしゃる以上に、そのことについてご存じだと思います。ところで、ジョイスの机は二階の8―31と書いてある柱のすぐ隣になります」

＋一人の人間として相手と向き合う

ジョイスのブースは空だった。きっとランチにでも出ているんだろう。わたしはその場を立ち去ろうとして、思い直した。今話さなくて、いつ話すというんだ？　そこで、机のそばにある予備の椅子に腰かけてジョイスを待った。

机の周りには、二人の女の子の写真が貼ってあった。三歳と五歳といったところだろうか。

それから、楽しそうな顔や太陽や虹を描いたクレヨン画があった。床のあちこちに図表や報告書が山と積み上げられているのを別にすれば、保育園の一角のようだ。

ジョイスがこの会社のわたしの部署で何をしているのか、わたしはあまりよく知らなかった。そのことに思い当たると、ひどく気がとがめた。報告書類からすると、どうやらジョイスは品質管理チームの一員らしかった。わたしが報告書をながめていると、角を曲がってジョイスが姿を現した。

「あら、コーラムさん」

わたしに気づいて仰天したジョイスは、立ち止まり、顔に手をやった。

「すみません、すっかり取り散らかして。いつもはこんなじゃないんです。ほんとうに」

動転しきっていた。わたしが自分のブースに来るとは、思ってもいなかったのだろう。

「そんなことはいいんだ。わたしのオフィスに比べたら、まるできれいなもんだ。それと、トムと呼んでくれないか」

ジョイスが混乱しているのは、顔色からも見て取れた。

何をいったらいいのか、どうしたらいいのか、途方に暮れているようだ。震えながら、ただ自分のブースの入り口に立ちつくしている。

「わたしはその、謝りにきたんだ。あの会議室のことやら何やらで癇癪《かんしゃく》を起こしてしまったんで。まったくあるまじきことだ。申し訳なかった」

「あら、コーラムさん、わたしは叱られるだけのことをしでかしたんですから。あなたがお書きになったものを消したりしてはいけなかったんです。ほんとうに申し訳なく思っています。あれから一週間、よく眠れなくて」

「君がちゃんと眠れるようなやり方ででも、話せたはずなのに」

ジョイスは、そんなことをおっしゃらないでというように、笑みを浮かべて床に目をやると、靴の先をもじもじと動かした。もう震えてはいなかった。

＋相手が箱の中に入っていたら……？

時計を見ると一二時半だった。バドのミーティングに戻るまで、あと二、三〇分ほどある。わたしはいい気分で、妻のローラに電話をすることにした。

「ローラ・コーラムですが」

電話の向こうで声がした。

「やあ」

「あら、あなた。あんまり時間がないのよ。何か、用？」

「いや、別に。どうしてるかなと思って」

「何かあったの」

「いいや、何もないよ」

「ほんとうに?」
「ああ。ちょっと電話しただけなのに、なんでこんなに問いつめられなくちゃいけないいんだ?」
「だって、あなたらしくないもの。きっと何かあったんでしょ」
「いや、ない。ほんとうに何もない」
「まあ、そうおっしゃるんなら」
「ローラ、どうしてそうなんでもかんでも、ややこしくしてしまうんだ。ただ、どうしてるかなと思って電話しただけなのに」
「こちらはいつも通り順調です。お気遣いありがとう」

嫌みな声だった。

突然、バドが今朝いっていたことがあまりにもおめでたく、単純にすぎるような気がしてきた。箱だの自己欺瞞だの、人か物か、そういったことが当てはまる場合もあるだろうが、この場合は当てはまらない。それに、当てはまるとしたって、だからどうだというんだ。

「よかった、ほんとうによかったよ。それでは、すてきな午後をお過ごしください」

わたしはひどく皮肉な口調で続けた。

「君が、今みたいに誰に対しても機嫌よく、ものわかりよくしていられることを、お祈り申し上げますよ」

カチッといって電話が切れた。

受話器を置きながら、わたしは思った。これじゃあ、わたしが箱の中にいるのも無理はない。妻があんなじゃあ、誰だって箱の中に入るってものさ。

中央ビルに向かって歩くわたしの頭の中には、疑問が渦巻いていた。

そもそも、相手が箱の中に入っていたらどうするんだ。その場合はどうなる。

妻だってそうだ、わたしが何をしようと、箱の中に入ったきりじゃないか。ちょっとおしゃべりでもしようと、電話をかけただけなのに。

だいたいわたしは、箱の外に出ていたんだ。それなのに妻は、問答無用でわたしに斬りつけてきた。

いつものことだ。問題があるのは、あっちのほうじゃないか。

わたしが何をしようと関係ない。わたしが箱の中にいたとして、だから何だというんだ。どうしろというんだ。

ああ、たしかに秘書やジョイスとはうまくいった。でも、連中にはそれしかやることがないんだから。

それにひきかえわたしは、丸々一つの部局を統括しているんだ。だから連中には、協力する義務がある。

秘書が泣き出したからといって、どうってことはない。

わたしは悪くない。秘書たるもの、もっとタフでなくちゃ。

泣くのは弱いからだ。少なくとも、秘書が泣いたからといって、わたしが後ろめたく感じる必要なんかない。

一歩進むごとに、怒りが高まってきた。

こんなのは時間の無駄だ。楽天的にすぎるというもんだ。この世が完璧だとでもいうのならいざ知らず。いいか、わたしはビジネスをしているんだ！

ちょうどそのとき、誰かがわたしに声をかけた。

声のしたほうを向くと、驚いたことにケイト・ステナルードの姿が目に入った。芝生を横切ってこっちにやって来る。

2

第２部

人は
どのようにして
箱に入るか

HOW WE GET IN
THE "BOX"

CHAPTER

9

箱に入っているのは、あなた一人じゃない

ケイトには、一度しか会ったことがなかった。ケイトは、入社試験の八回にわたる面接の最後の回を担当していた。わたしはすぐに、彼女に好感を持った。そして後に、ケイトが会社のほぼ全社員に好かれていることを知った。

ケイトの歴史は、ある意味でザグラムの歴史でもあって、公然と新入社員に伝えられていた。ケイトは二五年前、たしかウィリアムスカレッジでだったと思うが、歴史学の学位を取ると、すぐにここに入社した。そして、ザグラム創設時の二〇人の社員の一人として、顧客からの注文を担当するようになった。当時のザグラムは、決して安定した会社ではなかった。

六年後、すでに販売担当ディレクターの地位にあったケイトは、よりよいチャンスを求めてこの会社を去ろうとしたが、土壇場でルーに直接要請されて、転職を思い留まった。

それからルーが引退するまでのあいだ、彼女はザグラムのナンバー2、つまりルーの右腕として働いた。そしてルーが引退すると、会長兼CEOの座に就いたのだ。

+「自分」はどう変わっていくのか

「こんにちは、トム」

　ケイトはそういうと手をさしのべた。

「またお目にかかれて嬉しいわ。仕事のほうはどう？」

「まずまずですね」

　わたしは、こんなところでケイトに会って驚いたことも、破綻《はたん》したわたしの家庭生活についても、ひとまず置いておくことにした。

「で、そちらのお仕事の具合はいかがですか」

「まあ、退屈する心配はなさそうよ」

　そういうと、ケイトはくつくつ笑った。

「わたしのことを覚えていてくださるなんて、光栄です」

「セントルイス・カーディナルスのファンを忘れるなんて、とんでもない。それに、わたしはあなたに会いにきたのよ」

「わたしにですか？」

　わたしは信じられず、自分の胸を指さした。

「ええ、バドは何もいっていなかった？」

「いいえ。少なくともわたしにはなにも。いわれていれば、覚えているはずですが」

「たぶん、あなたを驚かすつもりだったんだわ。どうやら、お楽しみを台無しにしてしまったようね」

ケイトはそういいながらも笑みを浮かべていた。たいして悪いと思っていない様子だ。

「このプログラムにはなかなか参加できないんだけれど、でも、スケジュールが許す限り出るようにしているの。大好きだから」

「人間関係の諸問題について何時間も話すのがお好きだというわけですか」

わたしは冗談めかしていった。

「あなたは、これがそういうプログラムだと思っているの？」

昼のあたりにかすかなほほえみが浮かんでいる。

「いや、今のはただの冗談です。とても興味深いプログラムだと思います。疑問もいくつかありますけどね」

「それはそうでしょう。でも、あなたはラッキーなのよ。バドほど教えるのがうまい人は他にいないんだから」

「正直、驚いています。あなたとバドが、二人そろってわたしのために時間を割いてくださるなんて。もっと重要な仕事がおありじゃあないんですか」

ケイトは突然立ち止まった。わたしは、こんな質問をするんじゃなかったと後悔した。

ケイトは、まっすぐにわたしを見た。

「あなたは奇妙に思うかもしれないけれど、これは何よりも重要なことなの。少なくともわたしたちからすればね。仕事の計画からはじまって報告の過程、そしてさまざまな評価に関する方針に至るまで、この会社でしていることのほとんどが、今あなたが学ぼうとしていることの上に成り立っているの」

このミーティングと評価に何の関係があるんだろう。まるで関係なさそうなのに。

「でも、まだ真剣には受け取れないでしょうね。はじまったばかりですもの。あなたのいいたいことはわかるけれど」

ケイトは再び歩き出した。前よりゆっくりとした足取りだった。

「そうねえ、バドと二人がかりというのは、ちょっとやりすぎかもしれない。バドのほうがはるかに説明が上手なんだから。

でも、わたしはあのプログラムがとっても気に入っていて、できれば毎回参加したいくらいなの。そのうちに自分でミーティングができるかもしれないし」

そういうと、自分がミーティングをしている場面を想像しておかしくなったのか、ケイトは声を立てて笑った。

＋いつも箱の外にいる必要はない

二人ともしばらく黙って歩いていたが、やがてまた、ケイトが口を開いた。

「で、これまでのところはどう？」

「仕事が、ですか？」

「仕事ねえ……、それもだけれど、午前中のことよ。どうだった？」

「そうですね。自分が箱の中にいると指摘されたことを除けば、ほかはすばらしかった」

そういいながら、わたしはほほえもうとした。

ケイトは声を立てて笑った。

「ああ、いいたいことはわかるわ。でも、あまり深刻に受けとめないほうがいいわよ。知っての通り、バドだって箱の中にいるんだから」

ケイトはそういうと優しくほほえみ、わたしのひじに軽く触れた。

「それにわたしもね」

「でも、みんなが箱の中に入っている、あなたやバドのように成功した人までもが箱の中に入っているとしたら、このミーティングは、いったい何の役に立つんですか」

「それはつまり、こういうことなの。たしかに私たちはみんな、ときには箱の中に入ってしまうし、いつだってある程度は箱の中に足をつっこんでいる。でも、この会社が成功したのは、わたしたち社員が箱の外にいる時間を作り出せたからなの。

常に完璧に箱から出ていなければならない、というわけではないの。完璧だなんてとんでもない。

でもとにかく、この会社の中核となる人々の質を向上させるための、具体的で組織的な方法に磨きをかけてきたわけ。

この会社が他に抜きんでているのは、会社のあらゆるレベルのリーダーたちが、ある種の思考法を共有しているからなの。

わたしができる限りこのプログラムに参加したいと思うのは、いろいろと思い出したいことがあるから。箱は、なかなか手強いの。今日のミーティングが終わる頃には、あなたにももっとよくわかると思うけれど」

「実は今も、よくわからないことがあるんですが」

「わからないことって、一つだけ？」

ケイトは階段を三階へと上がりながらそういうと、にっこりした。

「ええと、一つだけではないと思います。まあ、たとえば手はじめにこんなことです。

箱の外にいて人を人として見られる状態と、箱の中にいて人を物として見てしまう状態と、仮に二つの状態があるとして、その違いはどこから生まれるんですか」

わたしは妻のことを考えていた。まったくとんでもない奴だ。

「つまり、相手によっては箱の外にいることが不可能な場合もあるんじゃないかと思って」

さらに質問を続けなくてはならないような気もしたが、何も思い浮かばなかったので口を閉じた。

「その質問には、バドが答えてくれると思うわ」

ケイトがいった。

CHAPTER

10

＋

箱の中に押し戻されてしまうとき

「やあ、トム」

バドは、部屋に入っていったわたしたちを温かく迎えた。

「ランチはどうだった」

「正直いって、ランチどころではありませんでした、いろいろとあったもので」

「おやおや、それはそれは。ぜひ話を聞きたいものだな。やあ、ケイト」

「こんにちは、バド」

ケイトはそういうと、ジュースが入ったミニ冷蔵庫のほうに歩いていった。

「ごめんなさいね。お楽しみを台無しにしてしまって」

「別に、お楽しみというわけでもなかったんだ。ただ、君がほんとうに来られるかどうかはっきりしていなかったし、トムに予告しておいて、結局は駄目だったなんてことは避けたかったから。来てくれてありがとう。じゃあ、すぐにはじめようか。少し時間が押し気味なんでね」

＋

組織における人間関係の問題

わたしは、午前中と同じように、窓を背にした会議用テーブルの真ん中あたりの椅子に腰を下ろした。だが、部屋を見回したケイトは、わたしに、もっとホワイトボードに近いところに座るようにいった。もちろん、背くことなどできようはずがない。

ケイトは、テーブルの向こう側のホワイトボードに一番近い椅子に座り、わたしは窓を背にそのはす向かいの椅子に座った。

さらにケイトは、バドに、わたしたちのあいだのテーブルの上座に、ホワイトボードを背にして座るよう身振りで示した。

「だって、あなたのミーティングでしょ」

「ひょっとして、君が引き継いでくれるんじゃないかと思ってたんだが。君のほうが上手だし」

「いいえ、それは駄目。たしかにわたしはときどき飛び入りで参加するけれど、これはあなたの舞台なのよ。わたしはここから拍手を送りながら……またいくつかのことを学び直すっていうわけ」

バドはいわれた席に座ると、ケイトとほほえみを交わした。明らかに、この親しみを込めたおふざけを楽しんでいる。

「さて、先に進む前に、これまでに学んだことを、ざっとケイトに話してみてくれないか」

「わかりました」

わたしは素早く頭の中を整理した。そしてケイトに、午前中に学んだ自己欺瞞についての話をした。人間というのは、常に他の人々に対して、箱の中にいるか外にいるかどちらかであること。さらにバドの飛行機の中での経験を引いて、箱の中に入っていようと外にいようと外から見た行動は変わらないが、他の人々に及ぼす影響は大いに違ってくる、という話をした。

「バドによれば、こういうことなんです。組織における成功は、その人が箱の中にいるか外にいるかによって決まり、リーダーとしての影響力も、やはり箱の中にいるか外にいるかによって決まってくる」

「まったくその通りだわ」

「たしかに、そうもいえると思います」

わたしは調子を合わせようとした。

「でも、箱の中にいるか外にいるかという問題が、組織での人間関係の諸問題すべての中心にあるんだといわれても、正直なところ信じられなくて。

ここに来る途中で、あなたはおっしゃいましたよね。ザグラムの報告評価システムは、すべてこれを基にしてできているんだと。ほんとうにそうなんですか」

「たしかに信じられないだろうな」

バドは嬉しそうだった。

「でも、今夜家に帰る頃には、君も、まったくその通りだと実感できるようになっているさ。少なくとも、わたしはそうなってほしいと願っている。

ところで、さっき昼の一時間半の休憩のあいだに、いろいろなことがあったといっていたね。それは、午前中に話していたことと関係あるんだろうか」

「ええ、関係あると思います」

わたしは二人に、秘書とジョイスのことを話した。

バドとケイトはそれを聞いて嬉しそうだったし、わたし自身も、話しているうちに、あの瞬間にまた引き戻されていくのを感じた。

＋

「自分だけが努力しても変わらないのではないか」

「すべてうまくいったんです。でも……」

わたしは考えもせずに妻とのごたごたを口にしかけたが、はっと気づいて思い留まった。

「それから、ある人物に電話をかけたんです」

バドとケイトは、わたしが先を続けるのを待っていた。

「あまり細かい話をするつもりはありません。ここで学んだこととは無関係のような気もしますし。ともかくその人物がすっぽりと箱の中に入ってしまっているもんだから、話しているうちに、わたしまで箱の中に入ってしまったんです。つまり、電話しているうちに、こっちまで箱の中に入ってしまったというわけです。

気持ちのいい出来事が二つも重なって箱の外に出ていたものですから、わたしは相手がどうしているかと思って電話をかけてみたんです。ところが相手は、わたしが箱の外に出たままでいることを許さなかった。わたしを箱の中に投げ戻したんです。どう考えてみても、わたしとしてはできる限りのことをしたつもりなんですが」

バドかケイトが、何かいってくれるだろうと思った。しかしどちらも口を開こうとはせず、わたしが先を続けるのを待っていた。

「大したことじゃないんです。でも、ちょっとわからなくなってしまって」

「何が？」

バドがたずねた。

「箱に関するすべてが。つまり、他の人間がこっちを箱の中に入れておこうとする場合には、どうすればいいんです？　わたしが知りたいのはこういうことです。誰かに絶えず箱の中に押し戻されてしまう場合に、どうやったら箱の外にいられるのか」

これを聞いてバドは立ち上がり、顔を手でぬぐった。

「そうだな、むろんどうやったら箱から出られるかを考えなくてはならない。が、それにはまず、どうして箱の中に入ってしまうのかを知る必要がある。では、一つ例を紹介しよう」

CHAPTER

11

あなたを箱の中に追い込む「自分への裏切り」

「さて、今から話すことは、最初は実に馬鹿げた話に聞こえると思う。仕事がらみの話ですらないんだから。いずれにしても、これは、単純で、ごくごくありふれた話だ。でも、この例について考えることで、そもそも人がどのようにして箱に入るのかが、よく理解してもらえると思う。

もうずいぶん前のことだ。息子のデイビッドがまだごく幼かったある晩、わたしはデイビッドの泣き声で目を覚ました。生後四ヵ月くらいだったんじゃないかな。時計を見たのを覚えている。午前一時頃だった。その瞬間、頭の中をある考えがよぎった。わたしにはすべきことがある、起きてデイビッドをあやせ、そうすれば妻は寝ていられるんだから、とね。

こういった気持ちは、もともと人間の中にあるものなんだ。

わたしたちはみな人間だ。君もケイトも人間として育ってきた。だから、箱の外にいて他の人々を人間として見ているときには、それらの人々に対して、基本的にこういった感情を持っている。自分同様他の人たちにも、望みやニーズや心配や恐れがあるんだという感覚をね。

そう思っているからこそ、折にふれて、他の人に何かしてあげたいと思う。手助けしてあげたいと思ったり、その人たちのためにできることをしてあげようと思ったり。わかるかな」

「ええ、とてもよくわかります」

「この場合もそうだった。わたしは妻のために何かをしてあげようと思った。ところが……」

とここでバドは言葉を切った。

＋「自分がすべきこと」に背く

「わたしは自分が感じた通りには動かなかった。ベッドに入ったまま、息子の泣き声を聞いていたんだ」

わかる、わかる。わたしも、息子や妻に何度も同じことをやってきた。

「つまりわたしは、妻のために何かすべきだと思った自分自身を裏切った。まあ、そういってしまってはちょっと強すぎるかもしれないな。自分がこうすべきだと感じたことに逆らって行動した。

他の人に対してどうあるべきかという、自分自身の感情を裏切ったんだ。そこで、このような行動を、自分への裏切りと呼ぶ」

バドはホワイトボードに向き直り、午前中に描いた図を指さした。

「この図を消してもいいかな」

「ええどうぞ、もう頭の中に入っていますから」

そこでバドは、図を消して、ホワイトボードの右端にこう書いた。

自分への裏切り

1　自分が他の人のためにすべきだと感じたことに背く行動を、自分への裏切りと呼ぶ。

「自分への裏切りは、どこででも見られるものなの」

ケイトはのんびりといった。

「いくつか例を挙げてみましょうか。

昨日ニューヨークにあるロックフェラーセンターに行ったの。わたしがエレベーターに乗ると、ドアが閉まりはじめた。そのとき、誰かが角を曲がってエレベーターのほうに走ってくるのが見えた。

その瞬間、わたしはドアを開けてあげなくちゃと思った。でもそうしなかったの。ドアが閉まるにまかせた。

最後に目にしたのは、思い切り伸ばされた腕だった。そんな経験、あなたはない？」

たしかにある。

「それとも、こんなのはどうかしら。

奥さんや子どもに手を貸してあげなくちゃと感じながら、手を貸すのをやめたとき。

誰かに謝らなくちゃと思ったのに、謝らなかったとき。

自分が同僚の役に立つ情報を持っていることに気づいていながら、黙っていたとき。

それか、他の人のためにも仕事を終えてしまわねばならず、残業しなければ仕事を終えることができないとわかっているのに、家に帰ってしまったとき。他の人には一言もなしにね。

いくらでもあるわ。わたしは、こういうことをすべてしてきた。あなたも経験があるんじゃないかしら」

これは、認めないわけにはいかない。

「ええ、してきたようです」

「これらはすべて、自分への裏切りなの。

人のために何かをすべきだと思いながら、それをしない」

ケイトが口を閉じると、バドが続けた。

＋「相手のすべきこと」を責める

「さて、この自分への裏切りというのは、別にどうということもないまったく単純なことだ。

しかし同時に、実にいろいろなことが含まれていて、非常に複雑でもある。ちょっと説明してみよう。

赤ん坊が泣いているという話に戻って、その瞬間を思い描いてみてくれないか。わたしは妻を眠らせておくために、自分が起きなくては、と思った。しかしそうはせず、妻のナンシーの横に寝たままだった。妻も寝たままだ」

バドはそういいながら、ホワイトボードの真ん中に図を書いた。

「さて、横になったまま、赤ん坊の泣き声を聞きながら、わたしは妻をどう見、妻のことをどう思いはじめるだろう」

「どうでしょう、怠け者だと思うでしょうね」

「なるほど、『怠け者』ね」

バドはそういうと、図に「怠け者」と書き加えた。

「思いやりがない、あなたのしてあげていることをちっとも評価しない、鈍感だ」

「易々と思いつくようだね」

バドは苦笑しながら、これらの言葉を図に書き加えた。

「ええ。どうやらわたしは想像力が豊からしい」

とわたしも調子を合わせた。

「もっとも、自分に関してはまるで思い当たるところがありませんが」

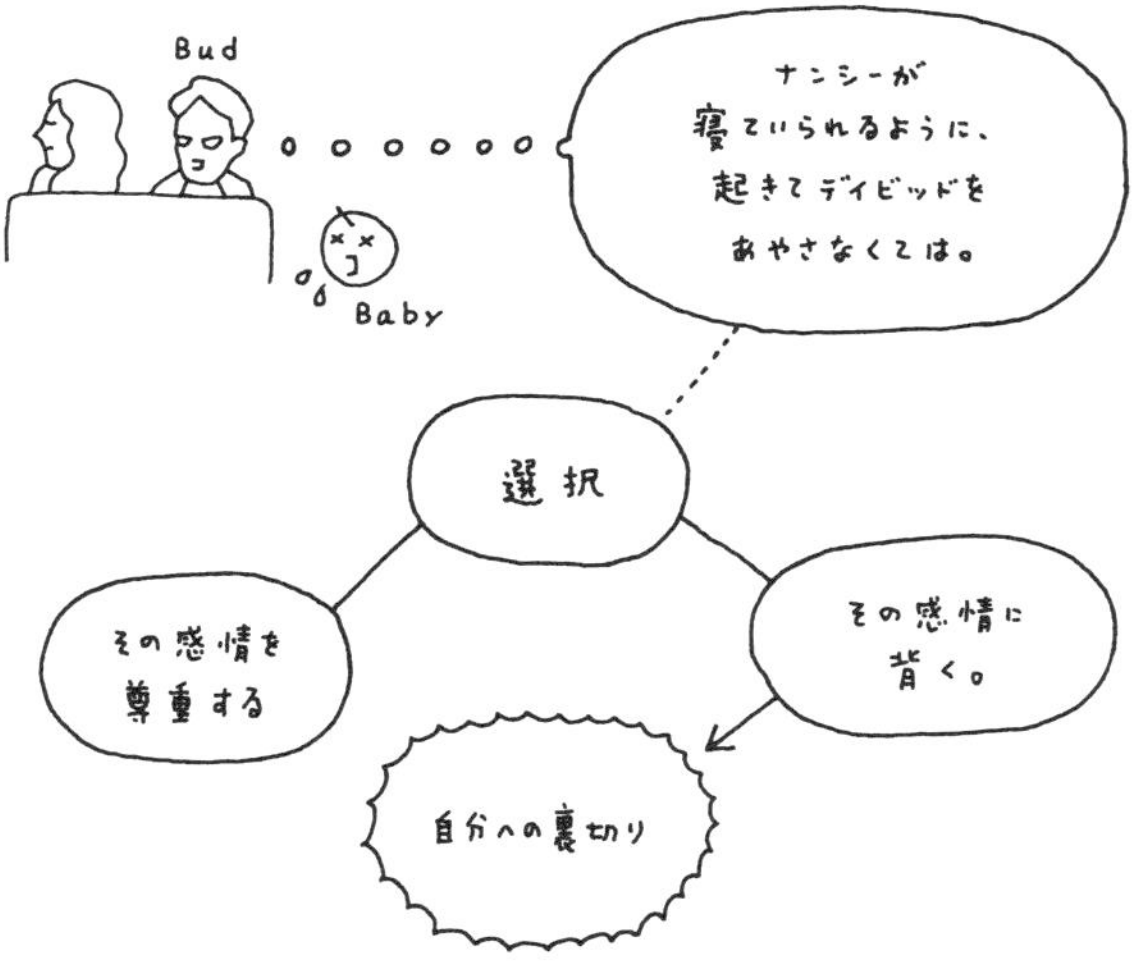
Bud
ナンシーが
寝ていられるように、
起きてデイビッドを
あやさなくては。
Baby
選択
その感情を
尊重する
その感情に
背く。
自分への裏切り

すると、ケイトがいった。

「そうでしょうとも。どうせお二人ともぐっすり眠り込んでいて、赤ん坊が泣いていても気づきもしないんでしょうからね」

ケイトはそういうと、くすくす笑った。

「おっと、あなたも参戦されるわけですか。いや、ありがとうございます。

今、ぐっすり眠り込んでとおっしゃいましたね。おかげさまでまた一つ、面白い論点が浮かび上がってきましたよ」

バドはケイトにそういうと、わたしに向き直った。

「君はどう思う。妻はほんとうに眠っていたんだろうか」

「ええと……、おそらく眠っていたんでしょう。でも、怪し気でもありますね」

「つまり狸寝入りをしていた……寝ているふりをしていただけだと？」

「おそらく」

バドは図に「嘘つき」と書き加えた。

「ちょっと待ってよ。ひょっとしたら、熟睡していて起きなかったのかもしれないわ。それに奥さんは、どうやらあなたのために何やかやと動きまわって疲れ切っていたようだし」

ケイトの声は、一本取ったといわんばかりに弾んでいた。

「なるほど。それはいいところを突いている」

バドはにやりとした。

「でも、この場合、妻がほんとうに眠っているかどうかはそれほど重要じゃない。わたしがどう思っているかが問題なんだ。今話しているのは、自分が感じたことに逆らった後でわたし自身がどう感じるかであって、ポイントはそこなんだ」

「ええ、わかってるわ」

ケイトはにっこりすると、椅子に深々と身を沈めた。

「ちょっと楽しませてもらっただけ。その他大勢という立場を楽しんでいるの。わたしのことを例にとれば、もっとたくさんの言葉が並べられるんじゃないかしら」

バドはわたしのほうを見ると続けた。

「つまりその時点でのわたしの目からは、泣いている子どもを放って狸寝入りを続ける妻は、どんな母親に見えるだろう」

「おそらく、ひどい母親に見えるでしょうね」

「そして、妻としてはどんな人間だと」

「非常に怠惰《たいだ》で、配慮に欠けていて、こっちがなにをしてやっても満足しない、ひどい妻だと」

バドはそれらの言葉を図に書き加えた。

「つまりこういうわけだ」

バドはそういうとボードから離れて、今書いたものを見渡した。

＋被害者の自分を正当化する

「わたしは、自分の感じたことに逆らった瞬間に、妻のことを『怠け者』で『思いやりがない』『夫をちゃんと評価していない』『鈍感』な『嘘つき』で、『ひどい母親』『ひどい妻』だと思いはじめる。

じゃあここで質問だ。自分のことは、どう見はじめたんだろう」

「そりゃあ、自分は被害者だと思ってるわけでしょ」

ケイトがいった。

「眠らなくてはならないのに、眠らせてもらえないかわいそうな男」

「その通り」

バドはそういうと、「被害者」という言葉を書き込んだ。

「自分のことを、勤勉な人間だと思うでしょうね」

わたしが付け加えた。

「翌朝しなくてはならない仕事が、さぞ重要に思われたんじゃないですか」

「まさしくその通り」

バドはさらに、「勤勉」「重要」と付け足し、しばらくするといった。

「どうだろう。わたしがちゃんと起きて息子をあやしていたとしたら、その場合、わたしは自分のことをどう思っただろう」

「ああ、自分のすべきことをちゃんとやっている、公正な人間だと思うでしょうね」

ケイトが答えた。

「その通り。ではこれはどうだろう？　赤ん坊の泣き声を聞きつけるだけの敏感な耳をしているのは？」

わたしは思わず声を立てて笑った。奥さんや自分に対するバドの見方はあまりにも馬鹿げていて、ついつい笑わずにはいられなかったが、一方で、非常によくあることのような気もしていた。

「もちろん、あなたのほうです」

「子どもに対して敏感だとすると、わたしはどんな父親だということになる？」

「いいお父さんよね」

ケイトがいった。

「そうだ、そしてわたしが自分のことをこんなふうに、勤勉で公正で敏感なよい父親だと思っているとしたら、じゃあ、夫としてはどんなだと思うんだろう」

「ほんとうにいい夫だと思うでしょうね。まったく、こんな妻に我慢しているなんて、なんていい夫なんだと思うはずよ」

「その通り」

バドはさらに図に言葉を書き足した。

「では、この図について考えてみよう。まず、自分の感情に逆らった後、わたしが妻をどう見たか。怠け者、思いやりがない、などなど。

じゃあ、わたしはこういうふうに感じたり思ったりした結果、自分の決めたことを再び考え直して、しなくてはならないと感じたことをするだろうか」

「いいえ、絶対にしないでしょうね」

わたしはいった。

「こういう考えや感情は、わたしにとってどういう意味を持つんだろう」

「ええっと、起きない自分を正当化する理由になります。寝たままでいていい、息子さんをあやさなくてもいいという理由ですね」

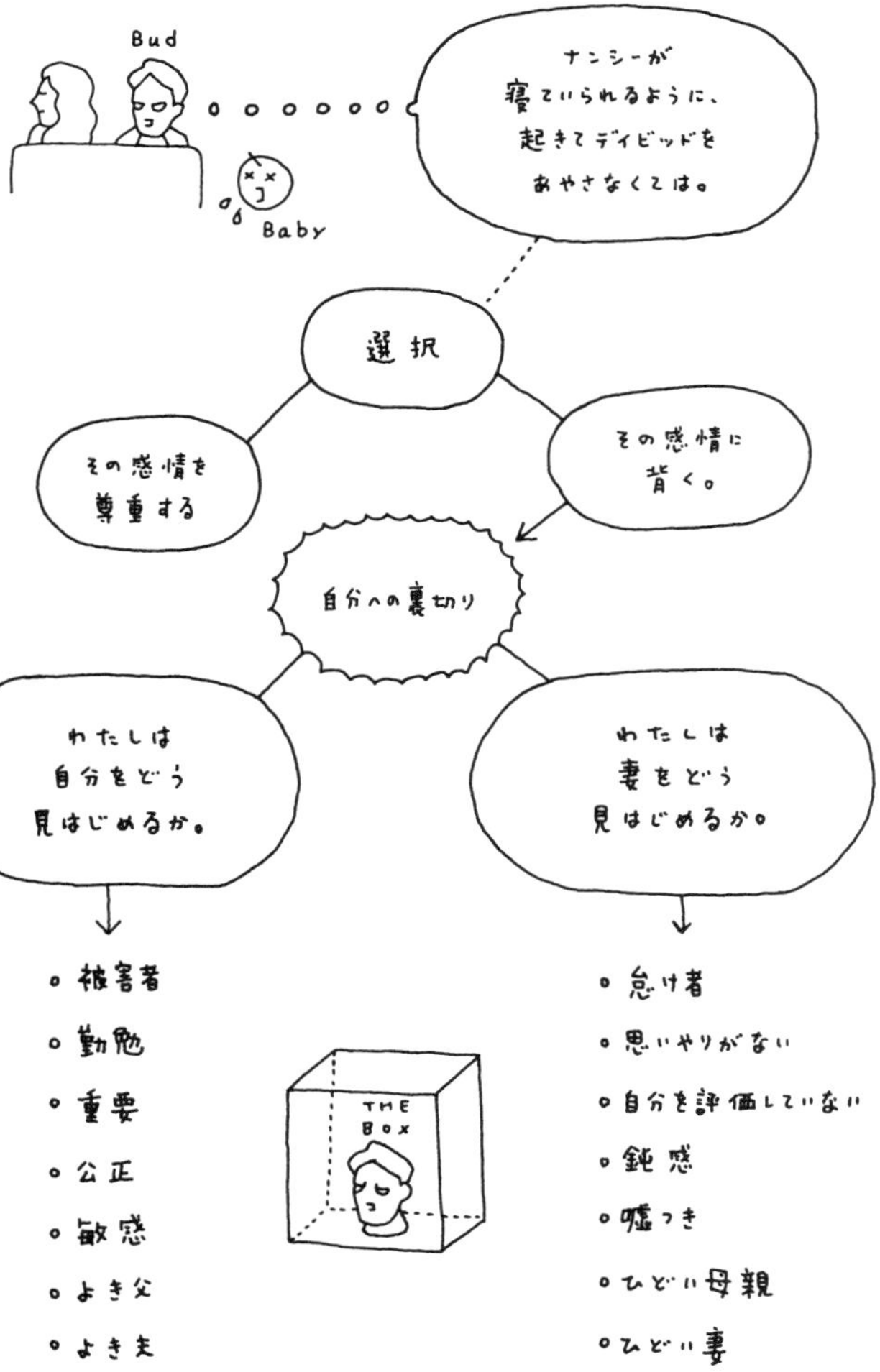
Bud
ナンシーが
寝ていられるように、
起きてデイビッドを
あやさなくては。
Baby
選択
その感情を
尊重する
その感情に
背く。
自分への裏切り
わたしは
自分をどう
見はじめるか。
わたしは
妻をどう
見はじめるか。
・被害者
・勤勉
・重要
・公正
・敏感
・よき父
・よき夫
THE BOX
・怠け者
・思いやりがない
・自分を評価していない
・鈍感
・嘘つき
・ひどい母親
・ひどい妻

「その通り」

バドはそういうと、ボードのほうを向いた。そして、「自分への裏切り」の欄にもう一つ説明を書き加えた。

自分への裏切り

1 自分が他の人のためにすべきだと感じたことに背く行動を、自分への裏切りと呼ぶ。

2 いったん自分の感情に背くと、周りの世界を、自分への裏切りを正当化する視点から見るようになる。

バドはボードから離れるといった。

「いったん自分の感情に背くと、すべての思考や感情が、何をしようと自分が正しい、と主張しはじめるんだ」

バドは椅子に腰をおろし、わたしは妻のことを考えていた。

「では次に、自分の感情や思考がどうやって行為を正当化していくかを、見ていくことにしよう」

CHAPTER

12

ほんとうに相手が悪いのか？自分を正当化できるのか？

「まずはじめに、妻を嫌な人間だと思ったのは、自分の感情に背く前だろうか、それとも後だろうか」

この問いかけによって、わたしは再び話に引き戻された。

「もちろん後でしょう」

「そうだ。では睡眠が重要に思えたのは、わたしが自分の感情に背く前と後のどちらだろう」

「後でしょう」

「では、他の心配ごとや翌朝の仕事に対する責任などがより重大に思えたのは」

「これも後でしょう」

バドはしばらく口をつぐんでいた。

＋相手のことを「ひどい人間」だと感じるとき

「では、もう一つ質問だ。妻がわたしの目にどう見えてきたかを、もう一度考えてみよう。君は、妻が実際に、わたしが自分の感情に背いた後に感じたくらいひどい人間だと思うかね」

「いいえ、おそらく違うでしょう」

そのときケイトが口を挟んだ。

「誓ってもいいわ。ここに書かれているのとは、似ても似つかない人よ」

「そうだね」

バドが相槌を打った。

そこでわたしはいった。

「もちろんそうでしょう。でも、もしここに書かれているような人だとしたら、つまりほんとうに怠け者で思いやりがなく、あるいはひどい妻でもあるとしたら、どうなんです。それでも何も変わらないというんですか」

「いいところを突くなあ」

バドはそういうと、椅子から立ち上がった。

「ではそのことについて、少し考えてみよう」

バドは、テーブルに沿って行ったり来たりしはじめた。

「では、話を先に進めるために、仮に、仮にだよ、妻がほんとうに怠け者だったとしよう。そして思いやりもなかったとしよう。

そこで質問だが、わたしが自分の感情に背いた後で、妻が怠け者で思いやりがなかったとすると、妻はそれ以前も、怠け者で思いやりがなかったことになるね？」

「ええ。怠け者で思いやりがない人間というのは、いつだって思いやりがなくて怠け者なものです」

「その通りだ。でも、ここで気をつけてほしいんだが、妻にははじめからそういう欠点があったにもかかわらず、わたしは、起きて妻に力を貸してあげなくては、と感じていた。

わたしが自分の感情に背くまで、妻の欠点はわたしが手を貸さない理由になっていなかった。自分の感情に背いたときにはじめて、手を貸さない理由になったんだ。

わたしは、自分の間違った行動を正当化するために、妻の欠点を持ち出した。わかるかな」

果たしてそうなんだろうか。そうかもしれないという気はしたものの、わたしは、この議論に不安を感じていた。わたしの家でも、同じようなことがあったからだ。

妻は怠け者とはいえないかもしれないが、思いやりはない。それに、あまりいい妻ともいえない。少なくとも最近は。

相手のありようによって、手を貸す気が起きるかどうか左右されたところで、それは当たり前じゃあないのか。自分に対して何の感情も示さない人間を助けてやりたいと思えだなんて、どだい無理な話だ。

「ええ、まあ」といってはみたものの、わたしはまだ不安で、気になっていることをどのようにいったらいいのか、いや、そもそものことを口にすべきかどうか、迷っていた。

「このことについては、他の見方もできる」

わたしの不安を察したのか、バドはいった。

「今さっき話したことを思い出してくれないか。

妻がほんとうに怠け者で思いやりがないとして、これらの欠点がより強く感じられるのは、わたしが自分の感情に背いた前と後のどっちだろう」

わたしはさっきの議論を思い起こした。

「それはもちろん後でしょう」

「その通り。だから、たとえ妻が怠け者で思いやりがなかったとしても、実はわたしは、自分への裏切りのせいで、妻を実際以上にひどい人間に仕立てているわけだ。

しかもそれはわたしがしていることであって、妻のしていることとは関係ない」

「なるほど、わかりました」

わたしはうなずいた。

+「しない理由」を相手の欠点に結びつける

「というわけで、考えてみてほしいんだが、わたしは自分の感情に背いている。

そして、あんな怠け者で思いやりのないない妻には、起きて力を貸す必要などないと思っている。でも、それはほんとうのことだろうか」

わたしは図を見た。

「いいえ。あなたはそう思っているかもしれませんが、そうではありません」

なるほど、わかってきたぞ。

「その通り。実は、わたしが、妻に手を貸さないという決定と妻の欠点とを結びつけたのは、妻に手を貸しそこなった後のことなんだ。自分を正当化しなくてはと思って、妻の欠点に目をつけ、その欠点を大げさに仕立てあげた。

自分の感情に背いたことで、真実とはまったく逆の見方をするようになってしまったんだ」

「なるほど」

わたしはゆっくりとうなずいた。これは実におもしろい。それにしても、わたしの妻の場合は、どうなるんだろう。

「こうやって、奥さんを見るバドの目はゆがんでしまったわけ。でも同時に、バドが自分自身を見る目もゆがんでしまったの。

バドは、自分で思っているほど勤勉で、重要で、公正で、敏感なのかしら。たとえば、いい父でいい夫だと思ってはいるけれど、あの時点で、ほんとうにいい父でありいい夫だったのかしら」

「違います。いい父でもいい夫でもありませんでした。奥さんの欠点を大げさに見ると同時に、自分の欠点は思いきり小さく見て、しかも自分の長所を大げさに見ていたわけですから」

「まさにそうなのよ」

「そこで考えてみてほしいんだ」とバドが口を挟んだ。

「自分の感情に背いた後のわたしは、自分自身をまっすぐに見ていたのだろうか」

「いいえ」

「妻についてはどうだろう。妻のことはまっすぐに見ていたんだろうか」

「いいえ、何もかもゆがんで見えていました」

「つまり、自分の感情に背くことで、現実の見方がゆがんだわけだ」

バドは再びホワイトボードに向き直り、「自分への裏切り」の欄に三つ目の文章を付け足した。

自分への裏切り

1 自分が他の人のためにすべきだと感じたことに背く行動を、自分への裏切りと呼ぶ。

2 いったん自分の感情に背くと、周りの世界を、自分への裏切りを正当化する視点から見るようになる。

3　周りの世界を自分を正当化する視点から見るようになると、現実を見る目がゆがめられる。

＋自分に都合のいい考え方

バドは、わたしたちがその文を読み終わると、また口を開いた。

「となると、自分の感情に背いたわたしは、どこにいることになるんだろう」

「どこにとは？」

何のことだろう？

「そう、どこにいるんだろう？」

バドは質問を繰り返した。ヒントをくれるつもりはないようだ。

「考えてみてくれたまえ。自分の感情に背く前、わたしは何か妻の助けになるようなことをしてやれると思っていた。妻のために何かをしてやらなくては、とね。状況をあるがままに見ていたんだ。しかし、自分の感情に背いたとたん、妻や自分を見る目がゆがんでしまった。自分の過ちを正当化するような見方をしはじめたんだ。

自分に都合よく、感じ方を変えた。ようするに、自分の感情に背いたことで、わたしは自分を欺いたわけだ」

わたしは勢いよく相槌を打った。

「なるほど、おっしゃる通りです。ということは、人は、自分の感情に背いたときに、箱の中に入るわけですね。それがおっしゃりたかったんだ。どこにいるのか、という問いに対する答えは、それですね？」

「まさにその通り」

バドはそういうと、またホワイトボードに向き直った。

「したがって、人は自分の感情に背いたときに、箱に入る」

自分への裏切り

1 自分が他の人のためにすべきだと感じたことに背く行動を、自分への裏切りと呼ぶ。
2 いったん自分の感情に背くと、周りの世界を、自分への裏切りを正当化する視点から見るようになる。
3 周りの世界を自分を正当化する視点から見るようになると、現実を見る目がゆがめられる。
4 したがって、人は自分の感情に背いたときに、箱に入る。

＋「自分への裏切り」を正当化する

「これまでの議論をもとに、図のほうにいくつか付け加えたほうがいいんじゃないかしら」

ケイトはそういうと、立ち上がってホワイトボードに近づいた。

「どうぞ、付け加えて」

バドはそういうと、椅子に座った。

ケイトは、バドの自分への裏切りを物語る図の下に、

「自分の感情に背いたとき、わたしは箱に入り、自己欺瞞を行う」

と書いた。そしてこちらに向き直った。

「ここで、バドの話から、自分への裏切りの四つの大きな特徴をまとめたいと思うの。まとめながら、それをこの図に書き込んでいきましょう。

まず、バドは自分の感情に背いてしまうと、奥さんを実際以上におとしめた」

「ええ」

わたしはうなずいた。

「たしかに奥さんの欠点をあげつらいましたね」

「まさにその通り」

ケイトは図に、

「他人の欠点を大げさにあげつらう」

と書いた。

「じゃあ、自分の欠点についてはどうかしら。自分の感情に背いた後でも、バドは自分の欠点を直視できたかしら」

「いいえ。自分の欠点は無視して、奥さんの欠点ばかり見ていました」

「そうよね」

そういうと、ケイトは図に
「自分の長所を過大に評価する」

と書き込んだ。

「それでは、バドが自分の感情に背いた後、勤勉であることや公正さといったものをどのくらい重要だと感じるようになったか、思い出してみて」

「逆らった後のほうが、ずっと重要に感じられましたね」

「そうなのよ。バドは、いったん自分の感情に背くと、自分への裏切りを正当化してくれる根拠になりそうなものの価値を、過大に評価するようになった。たとえば、勤勉であることや公正さや翌日の仕事に対する責任といったものね」

そういうとケイトは、図に
「自己裏切りを正当化するものの価値を、過大に評価する」

と書き加えた。

「さてと、もう一つ。この話の中で、バドが奥さんのほうが悪いと思いはじめたのは、いつかしら」

わたしは図を見た。

＋「わたし」を怒らせる相手が悪い？

「自分の感情に背いたときですね」

「そう。奥さんに手を貸してあげなくてはと思っていたときには、奥さんに非があるという気持ちは起こっていなかった。そういう気持ちが起きたのは、手を貸しそびれた後なの」

そういうと、図に

「相手に非があると考える」

と書き加えた。

「自分の感情に背いた後のわたしは、相手に対する非難の気持ちで、いっぱいになっていたわけだ」

とバドがいった。

「この図には、妻に対するわたしの見方が書かれているわけだが、箱の中に入った後、わたしの妻への感情はどうなったんだろう。

たとえば、わたしはイライラしただろうか」

「そりゃあ、イライラしたでしょうね」

「でも、いいかい」

バドはそういうと図を指さした。

「妻に手を貸さなくてはと思っていた段階では、妻に対して苛立《いらだ》っていただろうか」

「いいえ」

「じゃあ、怒りについてはどうだろう。怒ったのは、箱の中に入ってからなんだろうか」

「そうですね。奥さんがあなたの目にどう映っているかを見れば、わかります。もしこれがわたしの妻だったら、わたしはかんかんになると思いますよ」

この言葉には、自分でもぎょっとした。図を見ているうちに、そこに、わたしの目から見た妻の姿が書かれているとしか思えなくなってきていたのだ。

「そうなんだ。わたしは、妻があまりにもわたしの置かれている状況に鈍感だと思い、ひどく腹を立てた。だから、わたしの非難は考えだけには留まらなかった。

箱の中に入ると、感情の面でも相手を責めるようになる。

『あんたがイライラさせるから、わたしはいらつくんだ。あんたが怒らせるようなことをするから、わたしは怒るんだ』というわけだ。

箱の中に入ると、頭と心が、そろって相手を責めはじめる。悪いのは妻だといってね。

それに、この点をはっきりさせておきたいんだが、責められるべきは妻なんだろうか。わたしは妻のせいで苛立ち怒っていたんだろうか。わたしにそう思えていたのは事実だが。頭や心がわたしにいったことは、果たして真実なんだろうか」

わたしはちょっと考え込んだ。どうもよくわからない。感情が嘘をつくなんて、なんだかそれも変な気がする。

「こんなふうに考えてみよう」

バドは図を指さした。

「わたしがイライラして怒っていたときと、そうでなかったときのあいだに、一つだけあることが起きている。それは何だろう」

わたしは図を見た。

「ご自分がすべきだと思ったことを、しないことにした。つまり、ご自分を裏切ったわけですね」

「その通りだ。起こったことはそれだけだ。となると、わたしが妻に対して怒った原因は、何だったんだろう」

「自分への裏切り……ですね」

わたしは黙りこんだ。

いったいこれは、どういうことだ?

そんなことがあるんだろうか。

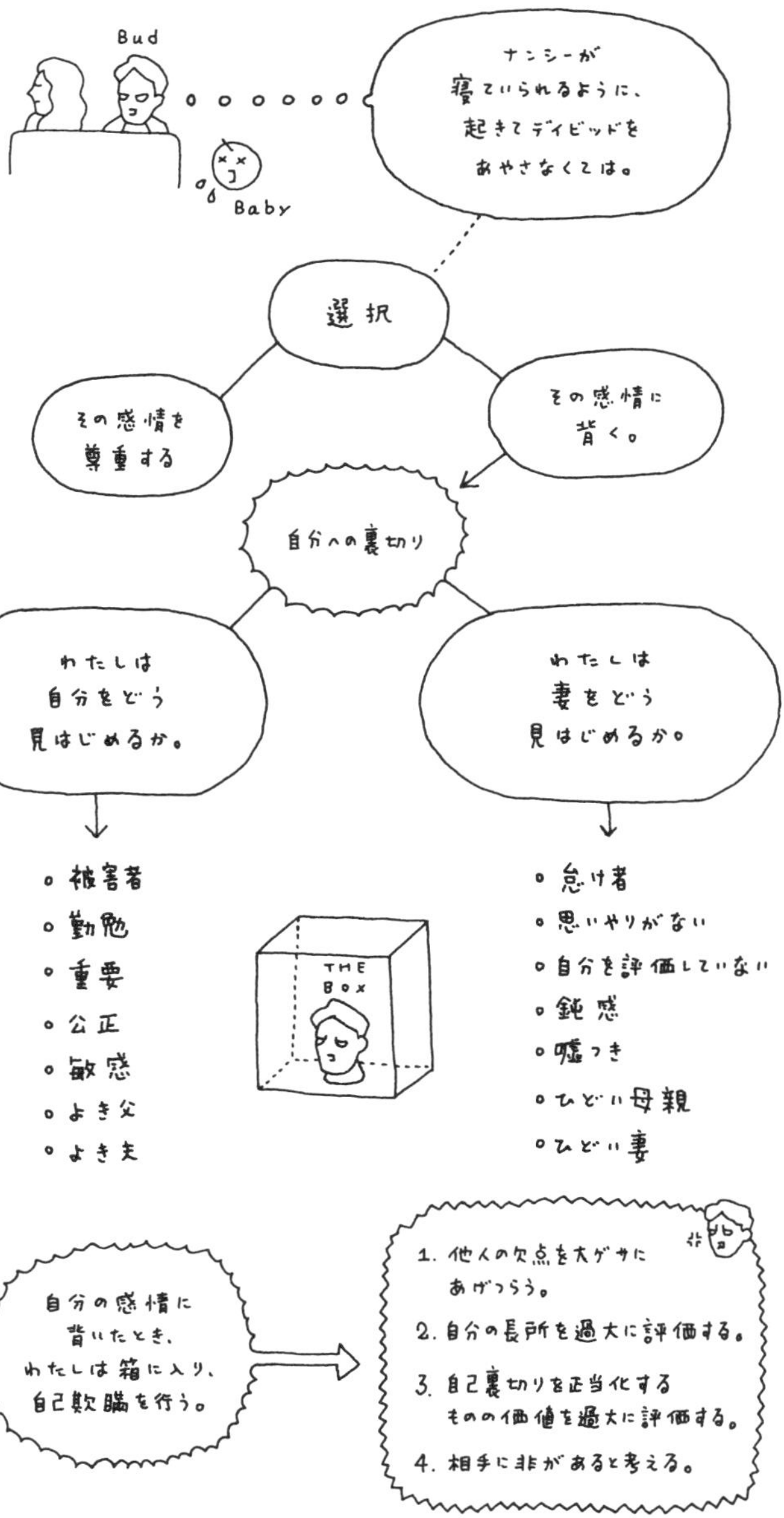
Bud
Baby
ナンシーが寝ていられるように、起きてデイビッドをあやさなくては。
選択
その感情を尊重する
その感情に背く。
自分への裏切り
わたしは自分をどう見はじめるか。
わたしは妻をどう見はじめるか。
○被害者
○勤勉
○重要
○公正
○敏感
○よき父
○よき夫
THE BOX
○怠け者
○思いやりがない
○自分を評価していない
○鈍感
○嘘つき
○ひどい母親
○ひどい妻
自分の感情に背いたとき、わたしは箱に入り、自己欺瞞を行う。
1. 他人の欠点を大げさにあげつらう。
2. 自分の長所を過大に評価する。
3. 自己裏切りを正当化するものの価値を過大に評価する。
4. 相手に非があると考える。

何かの間違いじゃないのか。

わたしはもう一度、図を見た。

＋剣を振り回しているのは誰だ？

バドは奥さんのことを、自分の感情に背くまでは、どんな欠点があるにせよ、手を貸してやるべき一人の人間だと見ていた。

なるほど。しかし自分の感情に背いてしまうと、奥さんはまるで違う人間に見えはじめた。手を貸すに値しない人間だと思えてきて、しかもバドは、それは奥さんのせいだと思った。

でもそうじゃなかった。

バド自身が自分を裏切っただけだったんだ。

つまり、バドの感情は嘘をついていたということになる。

わたしは心の中で叫んでいた。

でも、わたしの場合は違う！　妻にはほんとうに問題があるんだ。

単なる想像なんかじゃないし、わたしがでっち上げたわけでもない。

妻には優しさや気遣いってものがまるでない。冷たい剣の刃みたいな人間だ。

実際にわたしは、その刃で痛い思いをしてきたんだから。

まったくあいつときたら、見事なもんだ。

それなのにこのわたしが悪いと？　妻のほうはどうなんだ、悪くないっていうのか。

わたしはその考えに飛びついた。いいや、悪いのは妻のほうだ。自分の感情に背いているのは妻のほうなんだ。そう思うと、少し気分がよくなった。

でも待てよ、わたしは自問を続けた。

わたしは今、妻を責めている。こういうふうに考えるということは、相手を非難しているということだ。

バドの場合、非難しはじめたのは、自分の感情に逆らった後の話だよな。前じゃあない。

ああそうだよ、でも、だから何だというんだ。剣を振り回しているのは妻のほうなんだから、わたしが非難したところで当然じゃないか。

でもどうして当然だなんて、自分を正当化しなくてはならないんだ。

畜生。なんでこんなことを考えてるんだ。問題があるのは妻のほうじゃないか。

でも、バドもそう考えていたんだよな。

わたしは自分が今までこうだと思ってきたことと、今学んでいることとの板挟みになっていた。今までの話がまるっきり間違っているんだろうか、それともわたしの見方がまるっきり間違っているんだろうか。わたしはすっかり混乱していた。

やがてわたしは、この苦境を脱する道を見つけた。

CHAPTER

13

＋

他の人たちが何を必要としているか

わたしはもう一度ホワイトボードを見た。

そうだ、そうじゃないか！　わたしは心の中で歓声をあげた。

そもそものごたごたは、バドが奥さんに対する自分の感情に背いたことからはじまった。でもわたしは、妻に対して優しい気持ちなんか、まるで持ち合わせていない。なぜなら、妻はバドの奥さんよりはるかにひどい人間だから。あんな人間に何かしてやろうと思う奴なんか、いるもんか。

だから、わたしの場合はこれとは違う。バドは、自分の感情に背いたせいでやっかいなことになったが、わたしは自分の感情に背いていない。納得したわたしは、椅子に深く腰かけた。

「ええ、わかったような気がします」

そしてわたしは、自分の疑問をぶつけてみることにした。

＋「箱」の中での生活

「自分への裏切りがどういったものなのかは、わかったように思います。つまり、わたしたちは人間である以上、他の人たちが何を必要としているか、どうすればそれを手助けできるかを感じ取ることができる、というわけですね」

「そう、その通り」

バドとケイトが口をそろえていった。

「で、それを感じていながらその通りにしないと、他の人のためにこうすべきだという自分の感情に背くことになる。それが、自分への裏切りなんですね」

「まさにその通り」

「で、自分の感情に背いたとたん、物事を見る目が変わってくる。他の人、自分、その状況全体、すべてを見る目が、自分の行動を正当化するような形にゆがめられてしまう」

「ああ。自分への裏切りを正当化するような視点で、世の中を見はじめるというわけだ」

バドがいった。

「なるほど。そこで『箱』の登場となる。つまり、自分の感覚に逆らったときに、箱の中に入るわけですね」

「そうなんだ」

「ここまではわかりました。ではおたずねしたいのですが、背くべき感情がない場合はどうなるんですか。たとえば、子どもが泣いてもあなたのようには感じなかったとしたら、妻をひじでつついて、子どものところに行ってやれというだけだったら。この場合、わたしは自分を裏切っていないわけだから、箱の中には入っていないということになりますよね」

バドはしばらく口をつぐんでいた。

「うむ、これは重要な質問だ。慎重に検討することにしよう。それだけでは、箱に入っているかどうか、わたしには判断できない。君自身がその場面について考え、判断しなくてはならないんだ。実は、まだ君に話していないことがある。この問題を解決するのに、それが役立つかもしれない。

ここまでは、どのようにして箱に入るかを考えてきたが、もうそろそろ、どのようにして箱を持ち歩くかについて考えてもいい頃だ」

「箱を持ち歩く？」

「そうだ」

バドはそういうと、立ち上がって図を指さした。

「自分の感情に背いた後、わたしはすべてを、自分を正当化する視点から見るようになっていた。たとえば、自分は勤勉で、公正で、敏感で、重要な人物で、よき父でありよき夫だ、と見ていた。では、自分の感情に背く前も、やはりそんなふうに自分を正当化していたんだろうか」

わたしは考えを巡らした。

「いいえ、それはないでしょう」

「そうなんだ。自分を正当化するような見方は、わたしが自分を裏切ったときにはじめて生じた。自分の行為を正当化しなくてはならなくなったときにね」

「なるほど、わかりました」

「しかし考えてみると、これは十年以上前に起こったたった一つの例にしかすぎない。じゃあ、わたしが自分の感情に背いたのは、このときだけだったんだろうか」

「そうは思えませんね」

「だろう？」

バドはくつくつ笑った。

「自分の感情にまったく背かずに過ごせる日など、皆無といっていいんじゃないかな。一時間もないかもしれない。わたしはこれまでずっと、自分の感情に背き続けてきた。君やケイトやザグラムのみんなと同じようにね。そして自分の感情に背くたびに、今話したように、自分を正当化するような見方をしてきた。するとやがて、こういう自己正当化のイメージのいくつかが、わたしの性格になってしまうんだ。それらのイメージは箱となって、わたしはその箱を、いろいろな場所や状況の中に持ち込むようになる」

そういうと、バドは「自分への裏切り」の欄に五つ目の文章を書き足した。

自分への裏切り

1 自分が他の人のためにすべきだと感じたことに背く行動を、自分への裏切りと呼ぶ。

2 いったん自分の感情に背くと、周りの世界を、自分への裏切りを正当化する視点から見るようになる。

3 周りの世界を自分を正当化する視点から見るようになると、現実を見る目がゆがめられる。

4 したがって、人は自分の感情に背いたときに、箱に入る。

5 ときが経つにつれ、いくつかの箱を自分の性格と見なすようになり、それを持ち歩くようになる。

＋相手だって反省する必要がある？

わたしはそこに書かれていることの意味を、完全に理解しようとした。しかし、今ひとつ釈然としなかった。

「どういうことなのか、もっと具体的に説明してみよう。たとえば、自分を正当化する、このイメージについて考えてみよう」

バドはそういうと、「よき夫」という言葉を指さした。

「自分への裏切りを何回も繰り返していくうちに、この自己正当化イメージが自分の性格だと思うようになったとしよう。つまり、結婚生活でも日々の暮らしの中でも、自分をよき夫だと思っているわけだ。いいね？」

わたしはうなずいた。

「さてそこで、ある年の母の日のことだ。母の日には、子どもたちの母である妻に楽をさせようと、家族ぐるみでいろいろ工夫をこらすものだが、その日も終わろうという頃になって、妻に『あなた、今日はあまりわたしのことを考えてくださらなかったわね』といわれたとする」

バドが口を閉じると、わたしはこのあいだの母の日のことを思い出した。妻に同じようなことをいわれたのだ。

「『自分はよき夫だ』という自己正当化イメージを持ち歩いているわたしは、そのとき妻をどういうふうに見るだろう。身構えて、相手を非難しはじめたりするだろうか？」

「ああ、まずそうなるでしょうね」

わたしの脳裏には、妻の姿があった。

「自分はちゃんとしてあげているのに、そのことに気づきもしなければ評価もしていないといって、奥さんを責めるでしょう」

「その通り。感謝することを知らないといって妻を責めるだろう」

「それだけでなく、奥さんにはめられたと感じるかもしれませんね。かまってくれないといってこっちを責めるけれど、かまってくれないのはそっちのほうじゃないか、とね。だって、奥さんのほうがこっちを優しい気持ちにさせるようなことを何もしてくれないんじゃあ、母の日に奥さんにいい思いをさせてあげる気になるなんて、どだい無理な話でしょう」

わたしは突然口を閉じた。決まりが悪く、心の中を冷たい風が吹き抜けていくような気がした。なんてことだ。バドの話につられて妻とのごたごたを思い出し、妻に対する生の感情をうっかり見せてしまうなんて。もっと超然としていなくては。

「その通りだ。君のいいたいことはよくわかる。では、わたしが妻に対してそう感じたとしたら、妻の欠点を大げさにあげつらうだろうか。実際よりひどい妻だと思うだろうか」

できれば答えたくない質問だ。しかし、バドはわたしの答えを待っていた。

「ええ、思うでしょうね」

わたしはさらりといった。

「それにもう一つある」

バドの声に熱がこもった。

「そういうふうに感じていたとして、はたして妻の不満にまともに取り合おうとするだろうか。つまり、実は自分は妻のことをちゃんと考えていないんじゃないかと、反省するだろうか。それとも、そんな不満はあっさりと払いのけてしまうだろうか」

わたしは、妻との際限のない口論を思った。

「おそらく、自分を問い直すなんていうことは、しないでしょうね」

われながら、まったく意気の上がらないいい方だった。

バドは、ホワイトボードの図をさしていった。

「さて、わたしは妻を非難し、妻の欠点を大げさに考え、自分の欠点を矮小化《わいしょうか》している。ということは、どこにいるんだろう?」

「箱の中ですね」

消え入りそうな声でそういいながらも、わたしは心の中で叫び続けていた。でも奥さんはどうなんだ。奥さんだって箱の中に入っているじゃないか。どうしてそのことを考えない! 突然、この議論すべてに猛烈に腹が立ってきた。

＋箱に入るのは、誰かのせいなのか

「その通り」とバドの声がした。

「ここで注意してほしいんだが、この場合、箱の中に入るのに、自分の感情に背く必要はあったろうか」

何をいわれているのか、よくわからなかった。

「何ですって?」

ひどく喧嘩腰ないい方になってしまった。

自分でも驚くほど、とがった声だった。またしても、自分をさらけ出してしまったようだ。超然としていようと決めたのに、一分も保《も》たないなんて。

「すみません……」

わたしは何とか取りつくろおうとした。

「ご質問の意味が、よくのみこめなくて」

バドのまなざしは優しかった。わたしが怒っていることに気づいてはいても、別にそのことをいやがったりはしていないようだ。

「こういうことなんだ。わたしは妻に対して箱の中にいる。妻を責め、欠点を大げさにあげつらっているんだからね。はたしてその箱に入るのに、自分の感情に背くというきっかけは、必要だったんだろうか」

バドの質問に集中しなければという状況が、なぜかわたしの心を鎮めてくれた。わたしは、自分が抱えているやっかい事をひとまず置いておいて、バドの話を思い返していた。感情に背くというきっかけは、なかったような気がする。

「どうでしょう。なかったように思いますが」

「そうなんだ。箱の中に入るのに、きっかけはいらなかった。なぜなら、もうすでに箱の中に入っていたんだから」

わたしが途方に暮れているように見えたのだろう。ケイトが口を挟み、説明をはじめた。

「バドがいったことを、思い出してみてほしいの。自分の感情に背いていると、自分を正当化するような見方で自分自身を見るようになる。そしてそのイメージを、状況が変わっても持ち続ける。だから状況が変わっても、相変わらず箱の中に入っているわけ。人を人としてまっすぐに見られず、自分で作り出した自己正当化イメージを通してしか見られなくなっているの。相手がその自己正当化イメージを脅かすような動きをすると、脅威だと感じるし、自己正当化イメージを強化してくれる人々のことは、味方だと感じる。そのイメージにとってどうでもいい人々のことは、どうでもいいと見なす。どう見るにせよ、相手は単なる物であって、自分自身はすでに箱の中に入っている。バドがいっているのは、そういうことなの」

「まさにその通り。箱に入ったままだと、相手のために何かをしてあげようという気持ちにならない。相手に手を貸そうという気にならなかったからといって、箱の外に出ている証拠にはならないんだ。むしろ、より深く箱の中に入っている証なのかもしれない」

「つまり、わたしが誰かのために、たとえば妻のために何かをしてあげようという気にならないのは、妻に対して箱の中にいるからだと、そうおっしゃるんですか」

「いや、厳密にはそうじゃない」

バドはそういうと、わたしの隣の椅子に座った。

「わたしの場合には、そうであることが多い、というだけの話だ。少なくとも、身近にいる人々に対してはね。君が奥さんに対するときも同じなのかどうかは、わからない。それは、君自身が考えることだ。ただ一般的に、こうはいえると思う。ある場面で、自分が箱に入っているような気がする一方で、自分の感情には背いていないと感じていたとしよう。その場合、すでに完全に箱の中に入ってしまっている可能性がある。だから、自分が自己正当化イメージを持ち歩いているんじゃないかと疑ってみるのも、決して無駄ではないと思う」

「たとえば、自分がよき連れ合いであるといったイメージですね」

「ああ、あるいは、自分がえらくて能力もあり勤勉な人間であるとか、誰よりも頭の切れる人間であるとか。あるいは何でも知っているとか、何でもできるとか、ミスをしないとか、他の人のことを思いやる人間だとか。ありとあらゆるものを、自己正当化イメージとして悪用することができる」

「悪用、ですか？」

「つまり、もっとも優れた自己正当化イメージは、同時に、箱の外にいさえすれば、すばらしい性格になる類のものなんだ。だからそのイメージを、箱からは出ずに悪用するというわけだ。たとえば、よき連れ合いであるというのはすばらしいことだ。連れ合いのためにも、そうあらねばならない。また、他の人のことを思いやるとか、専門分野での知識を豊富にしようとすることも、すばらしい。しかし、そういった自己正当化イメージを持っている限り、現実にはそうはならない」

「どうもよくわかりませんが」

＋「自己正当化イメージ」について

バドは立ち上がると、再び歩き始めた。

「そうだなあ。たとえば、他の人たちのことを思いやるのはよいことだ。しかし、わたしが、自分は他の人のことを思いやれる人間だと思っているとき、実際には誰のことを考えているんだろう？」

「ご自分のことですね」

「そうなんだ。だから、わたしは自己正当化イメージに欺かれていることになる。たとえばこの場合、自己正当化イメージはわたしに、わたしは他の人を思いやれる人間だ、という。しかしそういうイメージを持っているわたしは、実は自分のことしか見ていないというわけだ」

「なるほど」

そういいながらも、わたしはバドの論理の穴を探していた。

「でも、頭が切れたり知識が豊富なことの、いったいどこがまずいんです？」

「ふうむ。では君が、自分は何でも知っている、という自己正当化イメージを持っているとしよう。ここで、誰かから、自分の知らなかったことを持ち出されたら、君はどう感じるだろう？」

「そうですねえ、腹を立てるでしょうね。相手のいっていることの、あらを探そうとする」

「そうなんだ。じゃあ、次に新しいことを思いついたとき、相手は君のところに来るだろうか」

「いいえ」

「となると、君は新しいことを学べるだろうか」

「いいえ、おそらく無理ですね」

そのとき、突然ピンときた。

「ああなるほど、わかりました。自分は物知りだというイメージを持っているからこそ、わたしは物知りになれないんだ」

「そうなんだ。自分は何でも知っているという自己正当化イメージを持っている人は、ほんとうに、いろいろなことを知りたいと思っているんだろうか」

「違いますね。自分がどう見えるか、それが最大の関心事なんじゃありませんか」

「その通り。自己正当化イメージというのは、そういうものなんだ」

バドの話はさらに続いていたが、わたしはそれどころではなく、自分の考えにすっかり没頭していた。なるほど、つまりわたしは箱を持って歩いている可能性があるというわけだ。バドがいった自己正当化イメージも持っているかもしれない。妻に対して箱に入っているのかもしれない。妻を物として見ていることが多いかもしれない。そこまではわかった。でも、妻はどうなんだ。これじゃあまるで、わたしだけに問題があるといわんばかりじゃないか。妻には問題はないのか。妻は自己正当化をしていないのか。どうなんだ！

再び怒りがこみ上げてきた。そして突然、わたしは、その怒りの中に偽善が混じっていることに気づいた。わたしは今、妻が箱の中に入っているといって怒っている。しかし、そうやって腹を立てているわたし自身も、箱の中にいる。つまりわたしは、妻が自分と同じだといって、腹を立てていることになる！　そのことに気づくと、妻が違ったふうに見えてきた。問題がなくなったわけではない。ただ、わたし自身も問題を持っているという、今までとは違った目で見られるようになったのだ。妻に問題があるからといって、それは、わたし自身が問題を抱えていることのいいわけにはならない。

ケイトの声が、わたしの思考をさえぎった。

「トム」

「はい？」

「ここまでは、全部わかったかしら？」

「ええ、わかりました」

わたしはゆっくりと続けた。

「必ずしも気に入ったわけではありませんが、理解はしました」

妻のことが頭を離れなかったわたしは、いったん口を閉じると、さらに続けた。

「どうやらわたしには、しなくてはならないことがありそうです」

それは、興味深い瞬間だった。そのときはじめて、わたしは、バドやケイトがわたしと分かち合いたいと思っていたものに対して、完全に心を開いた。自分が問題を抱えているかもしれないという可能性に、心を開いたのだ。心を開いたどころではない、自分に問題が、それも大きな問題があるということを知った。それまでは、自分に問題があると認めてしまったら最後、わたしは地面にねじ伏せられて妻が勝つことになる、と思っていた。しかし、今はまるで違う。妙に解放され、何の障害もないような気がしていた。妻が勝ったわけでも、わたしが負けたわけでもない。一瞬にして、世界がまるで違うふうに見えてきた。わたしは希望を感じていた。自分に問題があるということに気づいたその瞬間に、希望を感じたのだ！

「そうね、まったくその通り。わたしにも、しなくてはならないことがいっぱいあるわ」

ケイトがそういうと、バドがうなずいた。

「わたしもだ」

しばらくのあいだ、みな押し黙っていた。

「さて、あと一つ話しておくことがある」

やがてバドが口を開いた。

「それが終わったら、話を職場に戻して、これらのことがこの会社にとってどういう意味を持っているのかを、見ていくことにしよう」

CHAPTER

14

＋

なぜ自分ばかりが責められるのか

「ここまでは」とバドは続けた。

「箱の中にいる人の心の内側、でどういうことが起こっているかを見てきた。だが、もうわかったと思うが、こちらが箱に入っている場合、その箱は相手にも影響を及ぼす。つまり……」

そういうと、バドはホワイトボードに近づいた。

「これがわたしだとしよう。箱の中に入っている」

そういって箱を描き、さらにその中に人の絵を描いた。

「こんなふうに箱の中に入っているとき、わたしは何をしかけているんだろう」

「しかけている？」

「ああ。相手に対して箱の中にいる場合、わたしは相手に何をしていることになるかな」

「ええと」わたしは記憶の中をさぐった。

自分が箱の中にいることによって
他の人も箱に入れてしまう。そして、
箱に入った人々はお互いを責め合う。

「その……相手を責めるんじゃありませんか」

「そうなんだ。箱の中にいるわたしは、相手を責める」

バドはそういいながら図を指さし、さらに箱から右向きに矢印を書いた。

＋箱の中に入るようにしむける行為

「さてと、では、わたしの周囲の人たちは、『やあ、まったく！　今日の俺ときたら、怒られて当然というものだ。誰か怒ってくれないかなあ』とそう思いながら、暮らしているんだろうか」

わたしは思わず吹き出した。

「いやあ、それはないでしょう」

「だろう？　わたしもそんなことはないと思う。人間というのは、ふつうこう思ってるんじゃないかな。『そりゃわたしは完璧とはいえないさ。でも、いろいろ考えあわせれば、ちゃんと人並みにやってるだろ』とね。それに、たいがいの人間は自己正当化イメージを持ち歩いていて、攻撃されたらすぐさま自己正当化イメージを守ろうと、はじめから防御の構えに入っている。じゃあ、箱の中にいるわたしが相手を責めたとき、相手はどう出るだろう」

「責められれば、すぐに箱の中に入るでしょうね」

「その通り」

バドはそういうと、もう一人、箱の中にいる人物を書き足した。

「わたしは相手を責めることで、相手が箱に入るようしむける。ところがわたしは箱に入っているといって、わたしを責める。一方相手は、自分のことを不当に責めているといって、わたしを責める。一方相手は、自分のことを不

分が相手を責めるのは当然だと思っている。そして、こっちを責めるなんてお門違いだと感じ、自

さらに相手を責める。相手もすでに箱の中に入っているから、責められて当然なのはわたしで

あって、そのことで自分が責められるなんてとんでもないと感じ、さらにわたしを責める……

といった具合だ。つまり、わたしは自分が箱の中にいることで、相手が箱に入るようにしむけ

……」

そういいながらバドは、さらに箱のあいだに矢印を書き加えた。

「相手もまた、箱に入ることで、わたしが箱の中に留まり続けるようにしむけるというわけだ。

こんなふうにね」

そしてバドは、「自分への裏切り」の欄に、さらに六つ目の文を書き加えた。

自分への裏切り

1 自分が他の人のためにすべきだと感じたことに背く行動を、自分への裏切りと呼ぶ。
2 いったん自分の感情に背くと、周りの世界を、自分への裏切りを正当化する視点から見るようになる。
3 周りの世界を自分を正当化する視点から見るようになると、現実を見る目がゆがめられる。
4 したがって、人は自分の感情に背いたときに、箱に入る。
5 ときが経つにつれ、いくつかの箱を自分の性格と見なすようになり、それを持ち歩くようになる。
6 自分が箱の中にいることによって、他の人たちをも箱の中に入れてしまう。

「具体的には、いろいろな場合が考えられるわ」

ケイトが、図を指さしていった。

「つまり、一人でも箱の中に入っている人がいると、こういったパターンが自然に発生するわけ。たとえば、わたしには一八歳の息子がいてね、ブライアンといって、まあ大変な子。夜遅く帰ってくることもしょっちゅうで、わたしにはほんとうにそれが腹立たしくて」

わたしは妻とのことにすっかり気を取られていて、息子とのごたごたをほとんど忘れかけていた。しかし、今ケイトが子どものことを口にしたので、自分の息子のことを思い出して、気が重くなった。

「さて、わたしが息子に対して箱の中にいるとしましょう。そうすると、わたしは息子のことをどう見るかしら、夜遅く帰ってくることを、どう思うかしらね」

「そうですね。無責任な子だと思うでしょうね」

「ええ、そうね。ほかには？」

「いつもやっかい事ばかり起こして、と思う」

「それに無礼だとも」とバドが付け足した。

「そうね」ケイトはうなずくと、ホワイトボードを指さし、たずねた。

「この、二人が責めあう図、消してもいいかしら」

「もちろん」

ケイトはホワイトボードに、わたしたちがいったことをまとめた。

「さて、わたしが箱の中に入っていて、息子が無責任で礼儀知らずでやっかい者だと感じていたとすると、この場合、どういう行動に出るかしら」

「ふうむ」

わたしは考えた。

「厳しく躾けようとするだろうな」バドがいった。

「それに、非常に批判的になりますね」とわたしがいった。

「ええ、それから？」

ケイトは、わたしたちがいったことを図に書き加えた。

「おそらく、息子さんを監視して、やっかい事を起こさせまいとするでしょうね」

わたしがいった。

ケイトはそれらを図に書き加えると、脇にどいた。

「さて、息子が自分の感情に背いて、わたしに対して箱に入ったとしましょう。箱の中の息子は、わたしの躾や批判や監視をどう見るかしら」

「たぶん、独裁的だと思うでしょうね。あるいは優しさに欠けると」

「それに、口うるさい」バドが付け加えた。

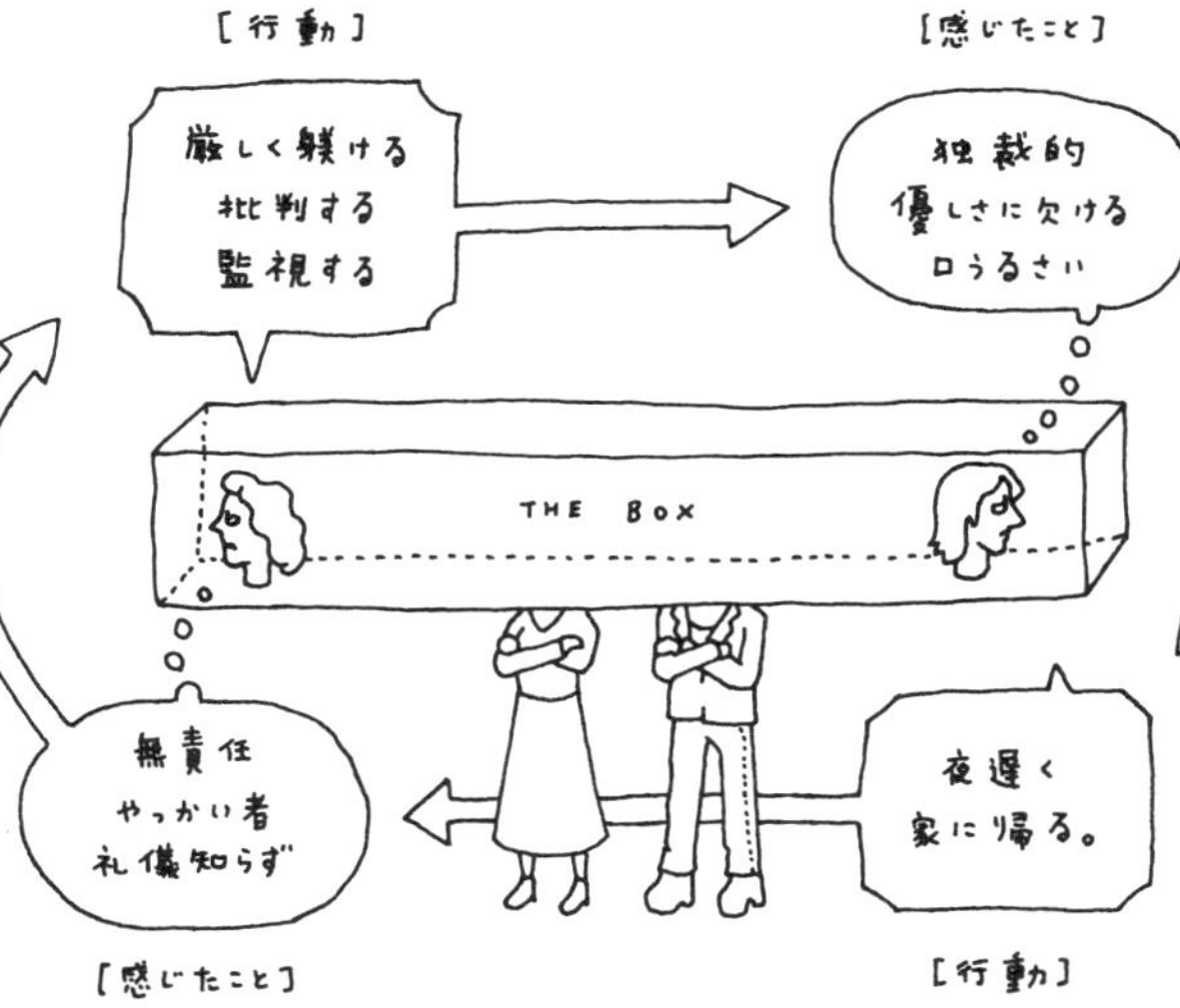

「『独裁的』、『優しさに欠ける』、『口うるさい』」

ケイトはそういいながら、さらに図に書き込んでいった。

「つまりこういうことね。では、

息子が箱の中に入ってしまって、わたしのことを優しさに欠ける口うるさい独裁者だと思っているとしたら、息子は家に早く帰ってきたいと思うかしら、それとも遅く帰ってきたいと思う？」

「そりゃあ遅くでしょう。うんと遅く」

そうわたしが答えると、バドが続けた。

「息子さんは、あなたがさせたいと思うことを、ますますしたがらなくなるでしょうね」

「そう」ケイトは、ブライアンの側から自分の側に一本矢印を書いた。

「それが繰り返されるわけよね」

そういいながら、二人のあいだにさらに矢印を付け加えた。

「つまり、お互いに、実は相手にさせたくないと思っていることを、させようとするわけ」

「まさにそこなんだ」

バドが口を挟んだ。

＋なぜ自分が望む方向に進まないのか

「トム、もしこの時点で君がケイトに、今一番望んでいるのは何かとたずねたら、ケイトはどう答えると思う」

「息子さんには、もっと責任感のある、面倒を起こさない人間になってほしいと思っている。そうおっしゃるでしょうね」

「その通り。じゃあ箱の中にいるケイトは、実際には、息子さんにどういう影響を及ぼしているんだろう。物事を、自分が望む方向に進められているだろうか」

わたしは図を見た。

「いいえ、ご自分が望んでもいないことを、引き起こしておられるようですが」

「そうなんだ。ケイトは、息子がさらに自分のいやがることをするように、しむけている」

わたしはしばらく考えてからいった。

「でも、そりゃあ無茶だ。どうしてそんなことをするんです。なぜなんです?」

「すばらしい質問だ。ケイト本人に聞いてみるといい」

「そうねえ」

ケイトはそういうなり、黙り込んだ。考えをまとめているようだ。

「それはつまり、わたしには自分が何をやっているのか、わかっていなかったということだと思うの。わたしは箱の中にいる、つまり自分を裏切っているわけ。そして、箱の中にいると物事がちゃんと見えなくなる。自分や他の人のことをありのままに見ることができなくなって、自分が求めているものすら、わからなくなるの。一つ、例を挙げて説明してみるわね。

今お話しした通り、わたしは息子に対して箱の中に入っていた。お二人がおっしゃったこと、つまり厳しい躾や批判や監視、そういったことをすべてやってみた。

でも問題は、行動そのものではなく、そのやり方だったの。ときには、子どもを厳しく躾けることも必要よ。でも、わたしが息子を躾けようとしたのは、息子に躾が必要だったからじゃない。息子に生活をめちゃくちゃにされたと思って、頭にきて、躾けていたの。躾けているあいだもそれ以外のときも、わたしは箱の中に入り続けていた。息子を、手を貸してあげるべき人間としてではなく、叱る対象としてしか見ていなかった。息子はそれを感じて、反発していたの。

もう一年ほどになるかしら、そんなこんなの最中のある金曜の夜に、息子が車を使いたいといいだした。わたしは車を使わせたくなくて、息子に、異様に早い門限をいい渡したの。息子が絶対にのめそうにない時間をね。『使ってもいいわよ。だけど』われながらえらそうないい方をしたもんだわ。『一〇時半には帰ってこなくちゃ駄目よ』『ああ、わかった』息子はそういうと、キーラックから鍵をさっと取り、ドアを荒々しく閉めて出ていった。

わたしはソファに倒れ込んだわ。ひどい疲れを感じていて、二度と息子に車なんか使わせるもんですか、と思っていた。その晩はずっとそんなふうだった。考えれば考えるほど、無責任な息子に腹が立ってきた。一〇時のニュースを見ているあいだも、息子のことでいらいらしていた。夫のスティーブも家にいたわ。二人して息子のことをぼやいていたとき、玄関先でタイヤがきしむ音がしたの。時計を見たわ。一〇時二九分。それで……」

わたしはじっと聞き耳を立てていた。

「そのとき時計を見たわたしは、ひどくがっかりしたの」

しばらくして、ケイトは再び口を開いた。

「あの晩、もしあなたになにを望んでいるのかとたずねられたら、わたしはこう答えたと思う。息子には、責任を持って行動し、約束を守り、人に信頼される人間になってほしい、それを何よりも願っているんだって。でも、息子が実際に責任ある行動をとったとき、約束通りにしたとき、わたしは喜んだ？」

「いいえ、喜びませんでした」

ようやく、のみこめてきたぞ。

「そうなのよ。息子が玄関から飛び込んできて、『ほら、約束守ったろ』といったとき、わたしがなんていったと思う？　息子の背中を叩いて、『よくやったわね』っていったと思う？」

「いいえ。たぶん『そうね、でもタイヤをきしませたりしちゃ駄目よ』みたいなことをおっしゃったんでしょう」

「その通り。こういったの。『あら、ぎりぎりだったわね』わかる？　息子が責任ある行動をとっても、そのことを認めてあげられなかったというわけ」

わたしは息子のトッドのことを考えながら、小さな声でいった。

「なるほど、これはすごい」

「ね。ということは、わたしは、ほんとうに責任感のある息子を心から望んでいたといえるかしら」

「いいえ」

「でしょう？　箱の中に入っていると、自分が一番望んでいると考えているものより、さらに必要なものが生まれるの。箱の中にいると、自分がほんとうに求めているものが見えなくなる。箱の中にいたわたしは、自分になにが必要だと感じていたと思う？　箱の中に入っているわたしにとって、何が一番大事だったのかしら」

＋「箱」の中は居心地がいい

わたしは、心の中でその質問を繰り返してみた。箱の中にいると、何が一番大事になるのか。

何が必要になるのか。しかし、どうもよくわからなかった。

ケイトは、わたしのほうに上体を傾けた。

「箱の中にいたわたしが何よりも求めていたのは、自分が正当化されることだったの。一晩中、いいえ、もっと前から息子を責め続けていたとしたら、自分が正当化された、自分が正しかったと感じるために、何が必要になる?」

「相手が間違っていなくてはなりませんね」

わたしは、腹のあたりがねじれるのを感じながら、ゆっくりといった。

「息子さんを責めている自分を正当化するには、相手が責めるに足る人間でなくてはなりませんから」

その瞬間、わたしは一六年前に引き戻されていた。

看護婦から渡された小さな包み、その包みの中から、二つの灰色の目がわたしの顔を見上げていた。生まれたばかりの息子を渡されたわたしは、いわば不意打ちを食らったようなものだった。あざがあって不格好で灰色で奇妙な姿をした子ども。そしてわたしは、その父親だった。

あの日から、わたしは息子を責め続けてきた。一度として賢いところを見せたこともなければ、人並みだったためしもなく、常に邪魔者でしかなかった我が息子。学校に通いはじめれば、いつもやっかい事ばかり。あの子がわたしの息子であることを誇らしく思ったことなど、一度もない。トッドはいつも不肖の息子だった。

ケイトの話を聞いてすっかり縮みあがったわたしは、自問した。親から常に不肖の息子だと思われ続けているというのは、どんな気持ちがするものなんだろう。それに、ケイトが正しいとすれば、あの子を不肖の息子にしているのは、わたし自身だということになる。あの子が問題児でないと、自分が正当化できなくなる。それでは困るというわけだ。そう考えると、気分が悪くなり、わたしは、息子のことを頭の中から追い出そうとした。

「まさにその通りなの」

ケイトの声がした。

「一晩中、ブライアンには失望させられてばかりだといって過ごしていたでしょ。だから、息子を責めている自分を正当化するためにも、息子に失望させられなくてはならなかった」

三人とも、しばらく考えにふけっていたが、ついに、バドが口を開いた。

「つまり、驚くべきことなんだが、こちらが箱の中にいると、相手が問題を起こす必要が出てくるんだ。つまり、問題が必要になる」

なるほど、まさにその通りだ。

バドはそういい終わると、椅子から立ち上がった。

「君は午前中、箱から出っぱなしで、どうやって事業を運営していけるのかとたずねた。年中、箱の外にいて人を人として見ていたら、押しつぶされてしまう、といいたかったんだろう?」

「ええ、そうです」

「そこでわたしは、その質問のどこが間違っているのかを説明した。だって、箱の中にいようが外にいようが、たいがいの行動は可能なんだから。優しい行動であろうと厳しい行動であろうと。そうだったね？」

「ええ」

「さて、あの君の質問については、もう一ついえることがある。今の問題を、あの重要な質問に当てはめてみよう。

こういうふうに考えてみてくれないか。この場合、ひどい目にあいたいと思っているのは、誰なんだろう。箱の中にいる人間のほうだろうか、それとも箱の外に出ている人間のほうだろうか」

「箱の中にいる人間です」

そういいながら、わたしはその答えに驚いていた。

「そうなんだ。箱の外にいると、自分がひどい目にあってもまるで得にならない。そんな必要はないんだ。それに、ふつう、相手のためにわざわざひどい目にあったりもしない。ところが箱の中にいると、自分がひどい目にあったときにこそ、もっとも必要としていたもの、つまり自己正当化の材料を手に入れることができる。相手は嫌な奴だった、自分が責めて当然の奴だった、という証拠が得られるんだ」

「でも、箱の中にいても、ほんとうはひどい目にあいたいとは思っていないんじゃないですか。

だって、変でしょう。ケイトの話を聞いて、息子のトッドのことを思い出したんです。妻もわたしも、トッドのことではほんとうにひどい目にあったと感じることがありますが、二人とも、ほんとうはそんなことは望んでいないんです」

「たしかに」とバドはいった。

「別に、箱の中にいれば問題が楽しくなる、というわけじゃない。

それどころか、問題を憎む。箱の中にいるときには、箱から出ることが一番の望みのように思える。でもいいかい、箱の中にいると自分を裏切ってしまう。自分や周りの人たちを、ありのままに見ることができなくなる。そして、望む結果を得ようという自分の努力を、箱そのものが蝕《むしば》んでいるということすら、見えなくなってしまう。ケイトの一件に戻ってみよう」

＋共謀して「ひどい相手」を非難する関係

バドはホワイトボードのほうに近づき、ケイトの図をさし示した。

「いいかな、この場合、ケイトはこう思っている。自分は息子に、礼儀をわきまえた責任ある人間になってほしい、もうやっかい事なんか起こさないでもらいたいんだ、と。それはほんとうだ。実際、そう望んでいるんだから。ただしケイトには、自分が箱の中でしているあらゆることが、実は息子を正反対の方向に押しやっているという事実が見えていない。いいかな、ケイトに責められると、息子はますます無責任な行動をする。そして実際に無責任な行動をした息子を見て、ケイトは自分は正しかった、やっぱり息子は無責任な人間だと思うわけだ。逆に、息子がケイトを口うるさいといって責めるものだから、ケイトはますます口うるさくなる。そうすると、息子は自分は正しかったんだ、やっぱりケイトは口うるさい母親だったんだと思う。箱に入っているせいで、互いに問題を作り出し、相手を責める原因を作り出していく」

ケイトが付け加えた。

「実際、息子とわたしの自己正当化ときたら、まあ見事なもので、ほとんど共謀しているといってもいいくらい。お互いに、『ほら、あんたにひどいことをしてやるよ、そうすりゃあんたは俺を責められるだろ。そしてあんたが俺にひどいことをすれば、俺はあんたを責められるってわけだ』って、いいあっているようなものなの。

もちろん、そんなふうにいいもしなければ、考えもしなかった。でも、お互いにやっていることや自己正当化が、あまりに完璧で調和がとれているものだから、まるで共謀しているとしか思えない。だから、互いに相手に対して箱に入っている複数の人間がいて、お互いの感情に背きあっている状況を『共謀』と呼ぶの。共謀というのはつまり、互いに相手がひどいことをしていると非難しあっている状態のことなの」

そのときバドが口を挟んだ。

「しかもこういうことになったからといって、別にそれぞれが自虐的になっているわけじゃない。ただただ、箱の中にいるせいなんだ。そして箱そのものはといえば、ひどい仕打ちを受けたことで得られる自己正当化を栄養にして、生き延びていく。つまり、箱の中にいると、何とも皮肉なことになるんだ。誰かにひどい仕打ちをされたとぼやいてみたり、おかげでとんでもない迷惑をこうむったと嘆きながら、一方でその仕打ちを妙に心地よく感じているんだな。ほら見ろ、あいつらは責められて当然の人間なんだ、わたしはまったく悪くない、とね。ぼやきの原因になっている行動そのものが、自分を正当化してくれるんだ」

バドは両手をテーブルにつき、わたしのほうに身をかがめていった。

「だから、箱の中に入りさえすれば、自分が嫌がっている行動を引き起こすことができる。そして相手もこちらに、自分が嫌がっている行動をさせるというわけだ」

そしてホワイトボードのほうに振り向くと、「自分への裏切り」の欄に一つ付け足した。

自分への裏切り

1 自分が他の人のためにすべきだと感じたことに背く行動を、自分への裏切りと呼ぶ。

2 いったん自分の感情に背くと、周りの世界を、自分への裏切りを正当化する視点から見るようになる。

3 周りの世界を自分を正当化する視点から見るようになると、現実を見る目がゆがめられる。

4 したがって、人は自分の感情に背いたときに、箱に入る。
5 ときが経つにつれ、いくつかの箱を自分の性格と見なすようになり、それを持ち歩くようになる。
6 自分が箱の中にいることによって、他の人たちをも箱の中に入れてしまう。
7 箱の中にいると、互いに相手を手ひどく扱い、互いに自分を正当化する。共謀して、互いに箱の中にいる口実を与えあう。

「箱の中に入ってしまうと、互いに箱の中に留まる口実を与えあうことになる。恐ろしいことだが、これが現実なんだ」

「ほんとうに恐ろしい話ですね」

わたしは突然、息子が気の毒になった。

「さてと」

バドは椅子に座り直した。

「自己欺瞞、つまり、自分に問題があるということ自体が見えなくなるという問題を、自分への裏切りをはじめ、これまでに話してきたことを使ってどう説明できるか、考えてみよう。まず、箱の中にいる場合には、誰に問題があると考える？」

「自分以外の人たちでしょうね」

「では、実際に問題があるのは誰だろう」

「自分自身です」

「ところが箱の中にいるせいで、他の人たちをどうしむけることになる?」

「自分にひどいことをするようにしむけますね」

「いい方を変えれば、自分の箱のせいで、他の人たちに問題を引き起こさせる。そうやって、自分には問題がないという証拠を手に入れる」

「ええ、おっしゃる通りです」

「となると、もし誰かがわたしの問題を正そうとしたら、どうなるかな」

「抵抗するでしょうね」

「その通り。問題があるのは自分のほうなのに、そうは思わず、他の連中のせいだと思う」

バドはしばらく黙り込んでいたが、再び口を開いた。

「そこで質問だ。で、どうなる?」

で、どうなるって? わたしは問い返した。

「で、どうなるって、それはどういう意味ですか?」

「そのものずばり。ここザグラムで働いているわたしたちは、このことについてどう考えればいいんだろう。このことは、仕事とどう関係してくるんだろう」

CHAPTER

15

自分の気持ちはどこに向いているか

わたしは答えた。

「仕事のあらゆる面に関係してくると思います」

なんで、こんなに力強くいい切れるんだろう?

「どのように?」バドがいった。

「どのようにですって?」

「ああ、どのように?」

バドの顔には、うっすらと笑みが浮かんでいる。

「そうですねえ、まずわたしが知る限り、職場のほとんどの人は箱の中にいます。そうですね、すくなくとも前にいたテトリックス社の場合は、ほぼ全員が、箱の中にいました」

「すると」

「すると、ですって?」

「ああ、すると、どうなる？」

「ええと、箱の中にいる人間は、他の人間を箱の中に入れようとする。そして自分たちがしようとしていることを互いに邪魔しあう。こうして、ありとあらゆる軋轢《あつれき》が生まれるってわけです」

「つまり？」

「つまりとは、どういう意味ですか」

「つまり、君は今、自分たちがしようとしていることを互いに邪魔しあう、といったろう。だから、何をしようとしているのかを、たずねたんだ」

「ああ、生産的であろうとしているんだと思いますが」

「どうして？」

「どうして？」この問いには驚いた。

「ああ、どうして生産的であろうとするんだ？　なぜ、生産性を高めようとするんだろう」

「ええと……、それは……、生産性を高めて会社の業績をよくしようと」

「なるほど！」

バドは熱を込めていった。

＋「仕事の成果」に集中するには

「つまり、自分たちが業績をあげられるように、と?」

「ええ、そうです」わたしはバドの助け船にほっとした。

「では、もう一つ聞くよ」

「どうぞ」わたしは、バドの次の言葉を待ち受けた。

「わたしたちの努力目標が、とにかく業績をあげることにあるとして、箱は、会社全体の業績をあげる力に、どう影響するんだろう」

「まさにそこです。箱の中に入っていると、外にいるときのような成果が得られないんです」

「どうして?」なんて馬鹿げたことを聞くんだ。

「どうしてとは、どういうことですか」わたしは苛立ちを隠しきれなかった。

「だから、どうして?」バドはまるで動じない。

「箱の中にいると、どうして外にいるときのような成果が得られないんだろう。なぜ、箱が問題になるんだ?」

「ええと……、そのう……。ということは、つまりあのう、箱が問題にならないとでも、おっしゃるんですか?」

「どうなんだろう。わたしにはわからないんで、君にたずねているんだが」

わたしはすっかり混乱していた。問題なのは、わかっていた。しかし、問題となる理由をちゃんと説明する方法が、わからない。

「こう考えてみよう。わたしが箱の中にいるとき、わたしの気持ちは何に向いている？」

「ご自分にでしょう」

「その通り。では、もう一度聞くよ。いったい箱のなにが、成果に気持ちを集中させる邪魔になるんだろう」

突然ピンときた。

「箱の中に入っていると、どうしても自分に気持ちが向いてしまって、結果に集中しきれなくなるんです」

「そうなんだよ。それ。箱の中にいると、自分に目を向けるだけで手一杯になってしまって、結果に気持ちを集中させられなくなる。これまで君が仕事の中で出会った人々、一心に成果をあげようとしているように見えていた人々も、実はそうじゃなかった。彼らが成果を重視するのは、自分が優秀だという評判を得たり、その評判を維持したいからということが多い。

なぜそういえるかというと、そういう人たちは、他人の成果を自分の成果に比べて軽く扱う。たいがいの人は、会社の誰かが成功しても、自分自身が成功したときのようには喜ばない。それどころか、他の人を踏みにじってでも、成果をあげようとする。そうやって悪影響を及ぼすんだ。成果を出すよう懸命に努力せよと、部下に発破《はっぱ》をかけるかもしれない。

でもそんなのは嘘だ。その人もみんなと同じように箱の中に入っていて、自分自身にしか関心がない。そしてみんなと同じように、そのことが見えていないんだ」

+「細菌」をまき散らしていた張本人

「それだけじゃないの」

ケイトが口を挟んだ。

「だって、箱の中に入っている人は、相手を箱の中に入れようとするでしょう？　たとえば、情報を隠すものだから、他の人にすれば、自分も同じように情報を隠してもいいんだ、ということになる。周りの人をコントロールしようとするから、当然、抵抗を受ける。するとますますがっちりコントロールしなくては、と思う。あるいは、資源を押さえ込むもんだから、相手も自分たちの資源を守らなくては、と思う。自分の足を引っ張るといっては他の人たちを責めるものだから、相手は、もっと足を引っ張ってやろうじゃないか、という気になってしまう。

そうしてそのあいだじゅう、ジャックがあんなことをしなければ、リンダがこんなことをしなければ、あの部門がもっとまともなら、会社がちゃんと筋道をつかんでいれば、問題は解決するのに、と思っているわけ。でも、それは嘘。たとえジャックやリンダやあの部門や会社に問題があったとしてもね。自分の外側のものを責めるのは、自分自身が欠点を直しそこなっているという事実を、正当化できるからなの。

つまり、組織の中では、一人の人間が箱の中に入ってしまって、成果をあげることに気持ちを集中できなくなると、その同僚たちも、成果をあげることに集中できなくなっていく。共謀関係がどんどん広がっていって、結局は同僚同士が対立し、作業グループ同士が対立し、部署のあいだに対立が生まれる。組織を成功に導くために尽力しようと集まった人々が、結局は、互いに欠点を見つけては喜び、互いの成功をねたむことになる」

「それじゃあまるで、狂気の沙汰じゃありませんか」

わたしは心底驚いていた。

「でも、おっしゃることはわかります。テトリックス社では、そういったことばかりでしたから」

「まったく恐ろしいことだ。たとえば君は、チャック・スターリが成功したときと、失敗したときでは、どっちのほうが嬉しかったかな」

これには不意をつかれた。他の人間が、人をねたんだり、あらを探して喜んだり、よくそういうことをやっていた、という意味だったのに。ほんとうに、スターリは大いに問題ありだった。別に、わたしのでっち上げなんかじゃない。あの男は、あらゆるやっかい事やもめ事を引き起こし、チームワークの邪魔になっていた。

「ふうむ、そのう……どうでしょう」

わたしの声は弱々しかった。

「その点を、少し考えてみてほしいんだ。もしこれが細菌性の病気の場合なら、他の人が病気だからといって、わたしが病気でないということにはならない。病人に囲まれていれば、自分だって病気になる可能性は高くなる」

バドは口を閉じると、しばらくわたしを見ていた。

「ゼンメルヴァイスのことを覚えているかな」

「産科病棟の死亡率がなぜ高いかを探り出した医者ですね」

「そうだ。あの場合、病気を広めていたのは医者自身だった。そして、医者と接触した患者をはじめとする医者以外の人も、医者を通して細菌に感染すると、やはり保菌者となった。こうして産褥熱の犠牲者は、どんどん増えていった。それもこれも、すべては、誰も知らないたった一つの細菌のせいだった。みんな、そんな細菌があることすら知らずに、菌を運んでいたんだ。組織で起こっていることも、これと似ている」

そういうと、バドは立ち上がり、ホワイトボードのところに行った。

「つまり、こういうことだ」

CHAPTER

16

箱の問題は、なぜ解決しなければならないか

「サンフランシスコでのわたしの一件なんだが、覚えているかな」

バドがいった。

「ええ」

「わたしがどれほど大きな問題を抱えていたか、覚えているかい。プロジェクトに参加しようという気がなくて、消極的で、どれほど他の人たちに迷惑をかけたか」

「ええ、覚えています」

「問題」を引き起こすもの

バドは自分への裏切りの図の下に書いてあったものをすべて消し、次のように書いた。

積極性の欠如
参加意志の欠如
問題を引き起こす

「さて、ここに、サンフランシスコでわたしが抱えていた問題を、いくつか書き出してみた」

そういうとバドはホワイトボードから離れた。

「わたしの病状といってもいいだろう。では続いて、思いつく限りの問題をあげてみよう。組織での人間関係における問題として、他にどんなものがあるだろう?」

「葛藤や、モチベーションの欠如」

「ストレス」とケイトが付け足した。

「チームワークの悪さ」

「ちょっと待って」

バドはそういうと、すごい勢いで書きなぐりはじめた。

「全部ここに書いておこう。いいよ、それから?」

「中傷、協力関係のごたごた、信頼の欠如」

ケイトが続けた。

「責任感の欠如、態度の悪さ、コミュニケーションの問題」

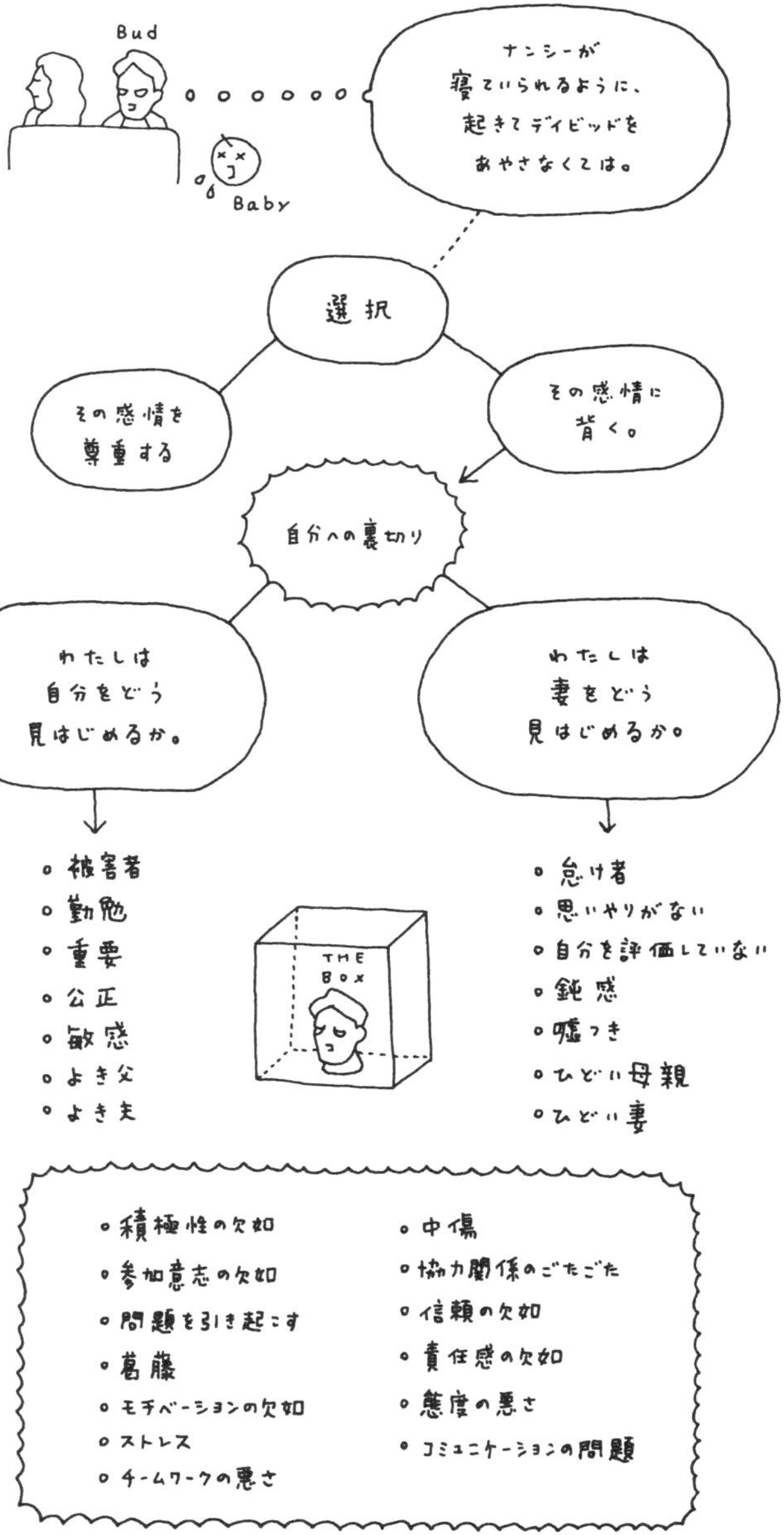
Bud
Baby
ナンシーが寝ていられるように、起きてデイビッドをあやさなくては。
選択
その感情を尊重する
その感情に背く。
自分への裏切り
わたしは自分をどう見はじめるか。
わたしは妻をどう見はじめるか。
○被害者
○勤勉
○重要
○公正
○敏感
○よき父
○よき夫
THE BOX
○怠け者
○思いやりがない
○自分を評価していない
○鈍感
○嘘つき
○ひどい母親
○ひどい妻
○積極性の欠如
○参加意志の欠如
○問題を引き起こす
○葛藤
○モチベーションの欠如
○ストレス
○チームワークの悪さ
○中傷
○協力関係のごたごた
○信頼の欠如
○責任感の欠如
○態度の悪さ
○コミュニケーションの問題

「よし、いいだろう。これくらいあれば十分だ。ではこれらの項目を、わたしが子どもをあやしそこなった話と比べてみよう。

さて、わたしが自分の感情に背いたとき、積極性や参加意志の点で、問題が生じたろうか」

「ええ」

「じゃあ、その前はどうだったんだろう。妻が寝ていられるように、起きて息子をあやそうと思ったときには、積極性や参加意志の点で、なにか問題があったろうか」

「いいえ、まったくありません」

「他の人に迷惑をかける、という点ではどうかな。手を貸そうという気になったとき、わたしは妻に迷惑をかけたろうか」

「いいえ。迷惑をかけたのは、自分の感情に背いた後です」

「たしかに。では、葛藤やストレスについてはどうだろう。

いちばんストレスが強かったのは、いつだろう。

手を貸そうと思ったときなのか、それとも自分の感情に背いて、翌朝しなければならないことの重要性を大げさに考えたときだろうか」

「もちろん、自分の感情に逆らった後です。葛藤だって同じです。自分の感情を裏切るまでは、葛藤なんかありませんでした」

「その通り。これらの問題は、すべて、自分の感情に逆らった後に起こった」

バドはそういうと口を閉じ、自分自身を振り返りながら図を見ているわたしをしばらく眺めていたが、やがてまた口を開いた。

「ということは、つまり？」

「つまりとは？」

「だから、こういう問題はすべて、わたしが自分の感情に逆らった後で、はじめて起きたわけだ。つまり？」

「つまり……、ええと、その、つまりこういった問題は、自分の感情に逆らったことが原因で、起きたわけです」

わたしはなんとか答えた。

「まさにその通り。自分の感情に背いたからこそ、こういった問題が起きた。ということは、この問題さえ解決できれば、人間関係のさまざまな問題は、すべて解決できるということだ」

バドはまた口を閉じると、わたしがその言葉を咀嚼《そしゃく》するのを待った。

「前にもいったことだが、自己欺瞞の問題の解決も、医学におけるゼンメルヴァイスの発見のように、ある一つの理論に帰することができる。この理論によると、実に多種多様な問題、いわゆる人間関係の問題すべてが、実は同じ根っこから派生しているんだ」

「はあ、そうおっしゃっていましたね」

「つまり、こういうことだ」

バドは図を指さした。

「赤ん坊が泣いたというこの単純な話を見れば、およそ、人間関係の問題と呼ばれるものがどのように引き起こされていくのか、その様子をつぶさに読みとることができる。自分の感情に背くこと、それこそが自己欺瞞という病を引き起こす細菌なんだ。自己欺瞞は、産褥熱のように、いろいろな症状となって現れる。モチベーションや積極性の欠如、そしてストレスやコミュニケーションの問題に至るまで、このような病に冒された組織は、あるいは死に、あるいは著しく力を損なわれる。というのも、それとは気づかずに、みんなが病原菌を運んでいるからなんだ」

わたしは図を見つめながら、細菌の持つ意味について考えていた。そして、しばらくするとたずねた。

「でも、ビジネスの世界でも、いつもそんなふうなんでしょうか。つまり、この例は結局のところ、赤ん坊をあやしそびれたということであって、職場での出来事ではないわけですし」

「そう。たしかに、職場の人間がこの場合とまるっきり同じように自分の感情に背いている、というわけではない。赤ん坊がいるわけでもない。だが、同僚のために何かをなすべきだと思いながら、それを実行しそこねている人は多い。そのたびに、この例と同じようなことがぐずぐずと続くんだ。

自分の感情に背くたびに箱の中に入って、もはや、家であろうと、職場であろうと、店先であろうと、どこで箱に入ったかは問題じゃなくなる。そしてこの例のように、自己欺瞞の箱そのものが、そこにいるすべての人に同じような問題を引き起こす。

しかもそれだけではすまない。社員のほぼ全員に共通する、独得な、そして根本的な自分への裏切り行為が存在するんだ。

さっき話したこととも関係があるんだが。およそ給料をもらって働いている人間は、給料をもらっている以上、会社に協力し、一丸となって成果をあげるよう努力すべきだ。しかし、ほとんどの人はそうできていない。本来の目標に、集中しきれずにいるんだ。

職場でのこの根本的な自分への裏切り行為を解決する方法さえ見つかれば、会社を苦しめている人間関係の問題のほとんどが解決できる」

「で、それにはどうすればいいんです」

わたしは勢いこんでたずねた。

「そうだなあ、その点に取りかかるには、まだ準備がたりない。さらにいくつか、考えてみないといけないことがある。いずれにしても、その前に少し休憩したほうがよさそうだ」

「伸びる会社」にとって何よりも重要なこと

ケイトが腕時計に目をやった。

「申し訳ないけれど、そろそろ失礼しなくては。ハワード・チェンさんと、四時半に約束があるの。ほんとうは最後までいたいんだけど」

ケイトは立ち上がると、わたしに手を差し出した。

「ご一緒できて、ほんとうによかった。このミーティングに真剣に取り組んでくれて、嬉しいわ。さっきも話したけれど、今あなたが学んでいることは、この会社にとって何よりも重要なこと、ザグラムの戦略的イニシアチブのもっとも重要なテーマなの。じきに、その意味がわかってくると思う。ところで、バド」

ケイトはバドのほうを向いていった。

「今日中に、基本的なことは終えてしまうつもり？」

「それにはちょっと時間が遅すぎるんじゃないかな。トムと相談してみるよ」

「そうね」いったんドアのほうを向いたケイトは、またわたしのほうを振り返った。

「ところでトム、わたし、一度ザグラムを辞めたことがあるの。当時は、今とはまるで違う会社だった」

「なぜ、辞めたんですか？」

「原因はルー・ハーバートよ」

まったく予想外の言葉だった。

「ほんとうに？　あなたとルーは、とても固い絆で結ばれているものだと思っていましたが」

「当時はそうじゃなかった。ルーは完全に孤立していたわ。優れた人が、たくさんこの会社を辞めていったの」

「で、あなたはどうしてここに戻ってきたんです」

「それもルーのせい」

まるで訳がわからなかった。

「どういうことです?」

「ルーは、今あなたが学んでいることに気づいたの。そして変わった。

彼が変わったことで、会社も変わった。

彼は、わたしの家に飛んできて謝り、ある計画を示した。わたしはザグラムで都合二回働いてきたわけだけれど、まったく別の二つの会社で働いてきたようなものよ。

あなたは今、謝罪することの必要性について学んでいるの。ルーのようにね。じきに、そこから生まれた計画についても知ることになる。前にもいった通り、この会社で行われているすべてのことは、あなたが今学んでいることの上に立っている。これこそが、この会社の原動力なの」

ケイトは言葉を切ると、わたしのひじに触れた。

「あなたと一緒に働くことができて、ほんとうに嬉しく思っているわ。信頼できる人だと思えばこそ、この会社に迎え入れたのだから」

「ありがとうございます」

それからケイトはバドのほうを向いた。

「バド、どうもありがとう。あなたにはいつも驚かされてばかり」

「なんの話かな？」バドはくつくつ笑った。

「この会社やここで働く人々にとって、あなたはすごい存在なのよ。心を入れ替えた後のルーみたい。ザグラムの秘密兵器だわ。ほんとうにありがとう」

ケイトがにっこり笑って出ていくと、バドがいった。

「さて、どうしよう。基本的なところを終えるだけでも、あと数時間はかかる。今日これからやって終わらせてもいいし、明日にまわしてもいい、君のスケジュールが、空いていればの話だが」

わたしは自分のスケジュールを思い浮かべた。明日の午前中なら空けられる。

「明日の朝のほうが、ありがたいのですが」

「わかった。じゃあ、朝八時にしよう。それと、ひょっとしたら、また一つお楽しみを用意しておけるかもしれない」

「お楽しみ、ですか？」

「ああ、うまくいけばね」

コンバーチブルのハンドルを握って家へと向かうわたしの髪を、八月の暖かい風が吹き抜けていった。

もっと妻のローラや息子のことをいろいろと考えてやらなくては、いや二人に謝らなくてはならないかもしれない。

どこからはじめたらいいんだろう。そういえば、あの子は車をいじるのが好きだったな。このわたしの息子が整備工なんかになるなんて、考えただけでもぞっとして、ことあるごとにあざ笑っていたんだが。それに、このところ何ヵ月も食事の用意は妻にまかせっきりだ。今日は、バーベキューの材料を買って帰ろう。そうだ。エンジンの調整について、息子に少しばかり聞いてみるのもいい。

この数年ではじめて、わたしは家路を急いでいた。

3

第3部

箱から
どのようにして
出るか

HOW WE GET OUT
OF THE "BOX"

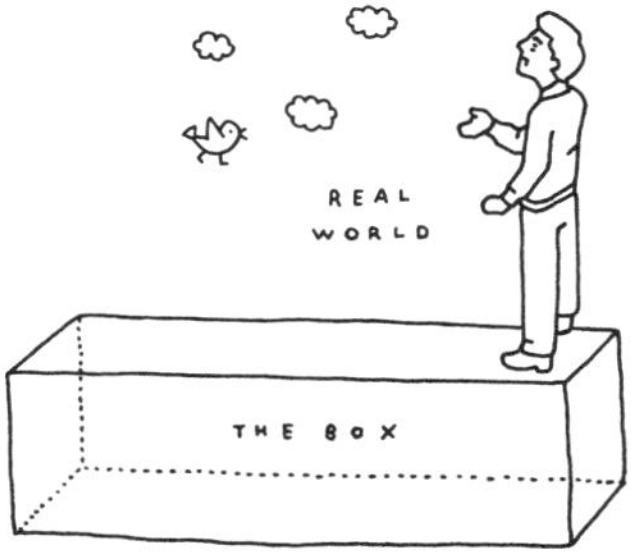

CHAPTER

17

＋

「素直な自分」を引き出す

もう八時一五分にもなろうというのに、バドはまだ会議室にやってこない。わたしが時間を聞き間違えたのだろうかと思いはじめたとき、突然ドアが開いて、一人の老紳士が部屋に入ってきた。

「トム・コーラムくん、かな?」

その紳士は、温かい笑みを浮かべながら手を差し出した。

「はじめまして。わたしはルー。ルー・ハーバートだ」

「ルー・ハーバートさん?」

これには驚いた。写真や何本かの古いビデオで見たことはあっても、ここで会えるとは思ってもいなかったので、名前をいわれるまで気づかなかった。

「ああ。びっくりさせてすまないね。バドもこっちに向かっている。今日の午後のミーティングに備えて、いくつかチェックしなければならないことがあったらしい」

わたしは仰天《ぎょうてん》のあまり口もきけず、ただもじもじと立ちつくしていた。まるで、初舞台で突然せりふを忘れた新米役者のような気分だった。

＋自分の気持ちを話したくなる人

「いったいわたしがここに、何をしに来たんだろう。そう思っているんじゃないかね？」

「はあ、まあ、実をいえば、そんなところです」

「昨日バドから電話があって、今朝のミーティングに出られないかといわれてね。わたし自身のことを話してほしいというんだ。午後にはミーティングがあるので、いずれにしても会社に来ることになっていた。だから、朝から来たというわけだ」

「なんと申し上げたらいいのか。あなたにお目にかかれるなんて、夢のようです。かねがね、お噂はいろいろうかがっていましたが」

「ああ、まるで死んじまった人間みたいにね。違うかい？」

ルーはそういうと、にやりとした。

「ええ、まったくそのとおりです」

くつくつ笑いながら、わたしは思わず相槌を打ってしまった。

「さあ、座ってくれたまえ。バドに、先にはじめておいてくれといわれているんだ」

ルーはそういうと、椅子を指さした。

「さあどうぞ」

わたしが前日と同じ椅子に座ると、ルーはわたしの斜め前に座った。

「で、どんなふうだった？」

「昨日のことですか」

「ああ」

「いやあ、びっくりしました。正直、とても驚きました」

「なるほど。じゃあ、何に驚いたのか聞かせてくれないか」

ルーに会ってまだ一、二分しか経っていないというのに、ぴりぴりした気持ちはどこかに消えていた。親切そうな目と優しい物腰は、一〇年前に死んだ父を思わせた。ルーといると、とても気持ちが楽になった。そして昔、父と一緒だったときのように、ルーに向かって自分の考えをいろいろと話したくなった。

「ええと、どこからはじめればいいでしょうかね。実にいろいろなことを学びました。でも、まずわたしの息子のことからお話ししましょう」

わたしはそれから一五分かけて、ゆうべの出来事について話した。昨晩わたしは、妻と息子と、ここ五年間なかったほどすばらしい時間を過ごすことができた。特別なことなど何もなかったのに、妻や息子と一緒にいることが、とても楽しかった。そのこと一つをとっても、いつもとは違う夜だった。料理を作ったり、共に笑ったり、車の整備について息子に教わったり。

家族と一緒にいることがこんなにありがたく楽しいなんて、このところ絶えて久しくなかった。そして、自分の家族に対して嫌な気持ちをまったく持たずに、眠りについたのだった。

＋「変化のきっかけ」をつかむ

「奥さんは、そのことをどう思ったんだろう」

「どう考えたらいいのか、わからなかったんでしょうね。いったいどうしちゃったの、と何度も繰り返すものだから、とうとう、昨日学んだことを話したんです」

「なるほど。つまり、箱について教えてあげようとしたわけだ」

「ええ、でも惨憺《さんたん》たる結果でした。数分のうちに、妻はすっかり混乱してしまいました。わたしは、『箱』『自己裏切り』『共謀』そういったことすべてを、台無しにしてしまったんです。まったく、自分でも信じられない」

ルーは、わかるよというように、ほほえんだ。

「どんな感じかはわかる。バドみたいな人間が説明するのを聞いていると、実に簡単に説明できそうな気がする。でも自分でやってみると、それがどれほどデリケートで難しいことか、すぐに痛感するってわけだ」

「そうなんですよ。説明すればするほど、疑問が解けるどころか、さらに疑問が生まれてくるといった具合で。でも、妻は耳を傾け、理解しようとしてくれました」

ルーはじっと聞き入っていた。優しそうな目は細められ、たしかではなかったが、わたしのいっていることに賛成してくれているような気がした。

とそのとき、ドアが大きく開いて、バドが入ってきた。

「遅れてすまない」

バドはひどくぴりぴりしているようだった。

「午後のクロフハウゼングループとのミーティングに備えて、最終準備をしなくてはならなかったものだから。ま、いつものことだが、時間が迫ってくると、時間が足りなくなるってわけだ」

バドはブリーフケースをテーブルに置くと、ルーとわたしに挟まれる形でテーブルの上座に座り、口を開いた。

「いやあ、君はついているよ」

「何がです？」

「ルーのことさ。わたしがいっていたお楽しみっていうのは、このことだったんだ。このミーティングで取り上げる考え方がどのようにザグラムを変えたか。その物語は、そのままルーの物語なんだ。だから、ルーの都合さえつけば、直接君にその話をしてほしいと思ったんだ」

「いや、ここに来られて嬉しいよ」

ルーは愛想よくいった。

「でも、まずその前に、トムから、昨晩の出来事の話を聞いたほうがいいんじゃないか」

「ああ、失礼した。トム、その話をしてくれないか」

なぜだろう。おそらくバドがわたしの上司で、上司には何としてもいい印象を与えたいと思ってしまったせいだろう。はじめのうちは、ルーに話したようにざっくばらんに話すことができなかった。しかしルーは、あのことも話さなくちゃ、これも話したほうがいいんじゃないかと、あれこれわたしをつついた。おかげでじきに肩の力も抜け、わたしは、昨日の晩のことをあらいざらい話した。一〇分ほどかかっただろうか、バドが優しい笑みを浮かべていった。

「すばらしいよ、トム。息子さんはどうしてた?」

「いつもとあまり変わりませんでしたね。とても静かにしていました。いつものように、わたしがたずねたことに答えるといった感じでした。『うん』『いいや』『知らない』といったふうに。でも、それが気にならなかった。前は、イライラして気が変になりそうだったのに」

「その話を聞くと、息子のことを思い出すよ」

ルーはそういうと、わたしの肩越しに窓の外を見た。

そのまま黙り込み、はるか昔の何かを思い出しているようだった。

「ザグラムが変わるきっかけを作ったのは、その息子だったんだ」

CHAPTER

18

＋

「どうすれば箱の中から出られるか」

「末の息子、といっても今ではもう四〇近くになるが、息子のコリーは、ほんとうに手に余る子だった。ドラッグにアルコール、何でもやった。そしてついに高校の最上級生のときに、ドラッグを売ったというので逮捕された。

最初、わたしはその事実を認めまいとした。ハーバート家には、ドラッグなんかやる人間は一人もいない。ましてやドラッグを売るなんて、そんなことはありえない。わたしはイライラと歩き回った。何かの間違いだということが、きっと明らかになるはずだ。うちの息子に限って、そんなことはありえない。そう思ったわたしは、正式な裁判を開くよう求めた。弁護士はこれに反対し、地方検事も有罪答弁取引を提案した。有罪を認めれば、刑務所に三〇日入るだけの軽い刑ですむというのだ。しかし、わたしはその申し出を拒んだ。

『息子が刑務所に入るなんて、冗談じゃない』

そして戦った。

しかし結局、その裁判に負けた。息子はブリッジポートにある若者を対象とした矯正施設に一年間入所することになった。わたしにいわせれば、まったく家族の名折れだった。たった二回しか、面会にいかなかった。

息子が家に帰ってきても、わたしたちはろくに口もきかなかった。わたしが息子にものをたずねることはほとんどなく、たまにたずねても、息子はかろうじて聞こえる程度の声で、ぼそっと一言答えるだけだった。息子は再び悪い仲間とつるむようになり、三ヵ月も経たぬうちにまた逮捕された。今度は万引きだった。

今回は、落ち着いて対処しなくては。わたしはそう思った。もう息子が無実だなどという幻想は持っていなかったので、有罪答弁取引に応じ、息子を、アリゾナの高地で実施される九〇日間の原野療法とサバイバルプログラムに参加させることにした。五日後、息子をアリゾナまで送り届けようと、ニューヨークのケネディー空港からフェニックス行きの飛行機に乗り込んだ。

わたしと妻のキャロルは、二人で息子をその団体の本部まで連れていき、息子が他の子どもたちとともに白いステーションワゴンに乗り込むのを見守った。ステーションワゴンがセントラルアリゾナ東部の山岳地帯へと走り去ると、わたしたちは一室に通されて、一日がかりの研修に参加することになった。きっと、息子にどのような矯正教育が施されるのか、その方法を教わることになるのだろう、とわたしは思った。

だが、そうではなかった。わたしはそこで、息子がどのような問題を抱えているにせよ、わたしの側にも直すべきところがあるのだ、ということを学んだ。そしてこれが、わたしの人生を変えた。といっても、わたしははじめのうち、いわれることにことごとく反発した。『なんでわたしがこんなことをいわれなくちゃいけないんだ！　わたしはドラッグなんかやっていない。高校の最上級の一年間を塀の中で過ごしたのは、わたしじゃないんだぞ。わたしは盗みなんかしていない。わたしは大きな責任を負った人間であり、尊敬される会社社長なんだ！』

しかし次第に、自分の防御の構えに潜んでいる嘘が見えてきた。発見したといってもいい。つらくはあったが、同時に希望に満たされてもいた。自分が、長いあいだ子どもや妻に対して箱の中に入っていたことを、悟ったんだ」

「箱の中に？」

わたしはつぶやいた。

＋自分の中の「嘘」に気づく

「ああ、箱の中だ。わたしがアリゾナでの一日目に学んだのは、君が昨日学んだことだった。自分の中の『嘘』に気づいた瞬間、息子がステーションワゴンを降りてこれから三ヵ月間を過ごすことになる人里離れた原野を見渡していたであろうその瞬間に、わたしは、長いあいだ感じたことのなかった感情に圧倒されていた。息子をおもいきり抱きしめたいという気持ちにね。

あの子はさぞ孤独で、自分を恥じているに違いない。このわたしは、そんな息子の気持ちにずっと追い打ちをかけてきた。ここに着くまでの数時間、いやそれをいえば数ヵ月間、いや何年にもわたって、わたしは息子に無言の叱責しか与えてこなかった。わたしは必死に涙をこらえた。

しかし、それだけではなかった。その日わたしは、自分が箱の中にいたせいで、息子だけでなく、会社にとって非常に貴重な人々をも、自ら遠ざけていたことに気づいた。ちょうどその二週間前に、ザグラムの関係者が『マーチ・メルトダウン（三月の大崩壊）』と名付けた大量退職があったばかりだった。経営陣の五人が『よりよいチャンスを求めて』退職していった」

「ケイトもですか？」

「ああ、ケイトもその一人だ」

ルーはじっと宙を見つめて考えにふけっていたが、ようやく口を開いた。

「今思えば信じられないんだが、わたしはその五人に裏切られたと思った。ちょうど、息子に裏切られたと感じていたようにね。あんな奴ら、勝手にしやがれ、みんな勝手にするがいいさ。

あんな連中抜きで、ザグラムを立派に成功させてみせる。そう心に決めていた。どうせ大したことない連中なんだから。五人とも、わたしがジョン・ザグラムから会社を買い取ってからまる六年、ずっと働き続けてきた人々だった。そのあいだじゅう、会社の業績はあまりふるわなかった。連中が優秀だったら、今頃もっとうまくいっていたはずだ。どうとでも勝手にしろ。

しかし、それは嘘だった。たしかに、もっとうまくいっていたかもしれない。しかし、それにしてもやはり嘘があった。というのも、このぱっとしない業績に私自身はどのような役割を果たしていたのか、まったくそこに気づいていなかったのだから。わたしは、自分がほんとうは彼らのしでかしたミスではなく、自分のしでかしたミスを理由に彼らを責めている、ということにすら気づいていなかった。そしてご多分にもれず、自分が箱の中にいるということにも、気づいていなかった。

でもアリゾナで、再び物事をまっすぐに見ることができるようになった。自分自身のアイデアが一番優秀であると思いこんで、他人のアイデアの優秀さを認めようとしないリーダー、自分はとても心が広いと思いこみ、物わかりのよさを裏付けるためにも、部下を否定的に見ざるをえないリーダー、いつも一番であろうとするあまり、他人にはうまくやらせまいとするリーダー。自分がそういうリーダーだということに、気づいたんだ」

ルーはしばらく黙っていたが、やがてまた口を開いた。

＋自分以外はみんなが無能に見えるとき

「共謀については、もう知っているんだろう？」

「ええ、二人の人間が互いに対して箱に入っているという状況ですよね」

「それなら、優秀で物わかりがよくて一番優れているという自己正当化イメージを持ったわたしが、この会社にどんな共謀関係を引き起こしたかも、見当がつくだろう。箱の中に入ったわたしは、歩く弁解製造器だった。自分に対しても、そして他の人間に対してもね。自分の感情に背いてしまって自分を正当化したいと思った社員は、わたしを見ればそれで十分、正当化の手段は選り取りみどり、といった有様だった。

たとえば、わたしがチームの業績に責任を持とうとすればするほど、みんなは自分たちの能力が疑われていると感じた。そしてあらゆる手段で抵抗した。自分の能力を発揮することをあきらめて、創造的なことはすべてわたしにゆだねるものもいた。あるいは、わたしに公然とたてついて、物事を自分のやり方で進めようとするものもいた。会社を去るものもいた。わたしはこういった態度を見て、この会社の社員は無能だという確信をいっそう深め、さらに細かく指示を与え、たくさんの方針や手順を作り上げていった。

すると、社員たちは、自分たちがますます軽んじられていると感じて、さらに反抗をエスカレートさせていった。その繰り返しだった。互いに相手を箱の中に引き入れようとし、そうすることで、箱の中にいる自分を正当化し続けた。あっちもこっちも共謀だらけで、何もかもがめちゃくちゃだった」

「ゼンメルヴァイスそっくりだ」

驚きのあまり、わたしはつぶやいた。

「ああ、バドが話したんだね」

そういうと、ルーはバドを見、そしてわたしを見た。

「ええ」

わたしとバドはうなずいた。

「そうか。あれは非常に興味深い例だ。実際わたしは、自分の会社の社員を殺していたようなものだった。社員が入れ替わるスピードといったら、ウィーン総合病院の死亡率並みだった。病気に罹《かか》ったといってみんなを責めておきながら、自分自身がその病原菌をばらまいていた。自ら相手を菌に感染させておいて、菌に感染しているといって相手を責める。カルテに記されたこの会社の病名は、『箱による共謀』。実にひどい状態だった。

だがわたしは、アリゾナで、このひどい状態の元凶が自分だということを悟った。箱の中に入っていたわたしは、自分が愚痴っている問題を自ら引き起こしていたわけだ。最も優れた社員を会社から追い出し、箱の中特有のゆがんだ目で、連中は無能だと断定し、しかも自分は正しいと信じていた」

ルーは口を閉じた。

「ケイトのことすら、無能だと思っていたんだ」

そういうと、ルーは首を振った。

「この地球上に、ケイトほど才能豊かな人間はいないのに。箱のせいで、それが見えなくなっていた。

というわけで、アリゾナで研修に参加していたとき、わたしは大きな問題を抱えていた。すぐそばには妻がいた。二〇年間、そばにいて当然と思ってきた妻だ。そして、息子とのあいだは、一〇〇マイル以上の荒涼とした大地に隔てられていた。

息子にとって、父親であるわたしとの思い出は苦々しいものばかり。会社はといえば、崩壊寸前で、最高の人材が世界中に散らばり、心機一転新しいポストに就こうとしていた。わたしは独りぼっちだった。大事にしたいと思っていたものすべてを、箱が壊していた。

そのときのわたしにとって何より重要だった問題。それは、どうやったら箱の外に出られるかということだった」

ルーはまた黙り込んだ。わたしは、ルーが再び口を開くのを待っていたが、ついに待ちきれずに口を開いた。

「で、どうやったんです。どうやって箱から出たんですか」

「君も、もう知っているじゃないか」

CHAPTER

19

＋ 人として、相手と接する

「わたしがですか？」

昨日のミーティングのことを思い返してみたが、そんな話に心当たりはなかった。

「ああそうだ。わたしもそうだった。どうやって箱から出るんだろうと思ったときには、箱から出ていた」

「ええ？」

まったくの五里霧中だった。

「考えてもみたまえ。わたしが、自分の妻や息子や同僚たちに対して何ということをしてしまったんだろうと悔やんでいたとき、わたしにとって、みんなは何だったんだろう。その瞬間、わたしにとってみんなは、物だったんだろうか、それとも人間だったんだろうか」

「その瞬間は人間だったでしょうね」

そういいながら、わたしは考え込んだ。

+「箱の外」にいるときの自分

「そうなんだ。人間だった。私は相手を責めたり恨んだりすることをやめて、相手に関心を持とうとした。相手のあるがままの姿を見て、実際よりも劣った存在として扱ってきたことを、後悔していた。したがって、その瞬間のわたしはどこにいたことになる?」

「箱の外、ですね」

わたしは、小さな声でいった。何でそうなったんだ? まるで、マジックショーを観ていて、目の前にたしかにウサギが出てきたのに、それがどこから現れたのかまるで見当もつかない、といった感じだった。

「まさにその通り。箱の外に出たいと思ったそのとき、わたしはすでに箱から出ていた。相手のために何かをしたいと思うことが、すわなち箱の外に出ることでもあるんだ。

同じことは、君の場合にもいえる。昨日、家族と過ごしたときのことを思い出してごらん。家族は君にとって何だった? 人間だったんだろうか、それとも物だったのか」

「人間でした」これは驚いた。

「つまり、昨日の晩、君は箱から出ていた。したがって、どうやったら箱から出られるか、すでに知っているというわけだ」

「そういわれても、わたしにはわかりません。どうして出られたのか、まるで見当もつきません。実際、あなたに今指摘されるまでは、自分が箱の外にいたことにすら、気づいていなかった。だから、どうやって出るかなんて、わかるわけがない」

「いいや、わかってるさ。実際に、もう箱の外に出ているんだから」

「どういうことなんです？」

わたしはまったく途方に暮れていた。

「君はわたしに、昨日の晩のことや、家に帰ってから家族とどのように過ごしたかといったことを話してくれた。あの君の話から、どうすれば箱から出られるかがわかる」

「そうおっしゃられても、わたしには皆目見当が……」

「いや君にはわかっている。自覚していないだけだ。でも、ちゃんと自覚できる」

そういわれて、少しはほっとしたものの、何かがわかったというわけではなかった。

＋「いい感じ」を保ち続けるには……？

「いいかい、『どうすれば箱の外に出られるのか』という質問は、実は二つに分けることができる。まず第一に、『どうすれば箱の外に出られるか』ということ、そしてその次に『どうすれば、一度出た箱の外に居続けられるのか』ということだ。君が気にしているのは、実は二番目の点なんじゃないかな。どうやったら箱の外に居続けられるか。

ここでもう一度強調しておきたいんだが、誰かに対して箱の外に出ていたいと思ったその瞬間、君はもう箱の外に出ている。なぜなら、相手を人間として見ていればこそ、外に出たいと感じることができるんであって、人間に対してそういう感情を抱けるということは、すでに箱の外に出ているということなんだ。

だから、物事をありのままに見たり感じたりして、他の人に対して箱の外に出たいと思った瞬間、ちょうどたった今や昨日の晩のようなときなんだが、その時点で問題になっているのは、『この人たちに対して箱の外に出たままでいるためには、どうすればいいのか。今のような感じを持ち続けるにはどうすればいいのか』ということだ。職場の場合には、実際に、いったん箱から出てそのまま箱の外に居続けるためのごく具体的な方法が、いくつかあるんだがね」

話を聞いているうちに、だんだんわかってきた。

「わかりました。箱の外に出たいと思った瞬間には、すでに相手を人として見ているわけだから、箱の外にいることになるんですね。なるほど。いったん外に出たら、どうやって外に居続けるかが問題だ、という点もわかりました。特に職場では、ぜひ箱の外に居続けたいと思います。でもやっぱり、そもそもどうやって箱から出られたのか、首を傾げてしまうんです。妻や息子に対する恨みがましい気持ちが、なぜ突然消えたのか。たぶん、昨晩はたまたま運がよかったのでしょうが、あんなに運がよくないときには、どうやったら箱から出られるのか」

「ああ」そういいながら、ルーは立ち上がった。

「なるほど。では、そもそもどうすれば箱から出られるのか、バドの助けを借りてできる限り説明してみよう」

CHAPTER

20 + 箱の中にいるときにしても無駄なこと

「まず最初に、箱から出るうえで役に立たないことから考えていこう」

ルーはそういうと、ホワイトボードに向かって書きはじめた。

箱の中にいるときに、しても無駄なこと

そしてこちらを向いた。

+ 相手を変えようとしてもうまくいかない

「さて、箱の中にいるときには、どんなことをしようとするだろう。たとえば箱の中にいるときには、問題は、誰にあると思っているんだろう?」

「問題は、他の人たちにあると思っているはずです」

「たしかに。つまり、箱の中にいる間は、他の人を変えることに多くのエネルギーを費やす。それで、うまくいくだろうか。他の人を変えれば、箱の外に出られるんだろうか?」

「いいえ」

「どうして?」

「ええっと、そもそも他人を変えようと考えること自体が、問題だからです。自分が箱の中にいるものだから、相手を変えなくてはと考える。そして相手を変えようとしますが、まさにそこが問題なんです」

「ということは、誰も変わらなくていいということかな。みんなの行動は完璧で、誰も進歩したり向上したりする必要はないと、そういうことかな?」

そうたずねられて、ぽかんとしてしまったわたしは、あわてて自分に発破をかけた。おい、コーラム、考えるんだよ、ちゃんと聞いてなかったんじゃないのか。

「いいえ、もちろんそうじゃありません。みな、向上していかなくてはなりません」

「さて、そうなると、なぜ相手が進歩することを望んではいけないんだ? 相手に進歩してほしいと思うことの、どこが悪いんだろう」

いい質問だ。それにしても、なぜまずいんだろう。ここがポイントだと思いはしたものの、どうも確信が持てなかった。

「よくわかりません」

「じゃあ、こういうふうに考えてみよう。他の人たちが解決しなくてはならない問題を抱えているとして、こちらが箱の中に入っているのは、そういった問題のせいなんだろうか」

「いいえ、箱の中にいると、そう感じられますが、実は違います」

「その通り。ということは、わたしが相手を変えることができて、実際に相手が変わったとしよう。そのことによって、わたしが箱の中にいるという問題は、解決されるだろうか」

「いいえ、解決されないでしょうね」

「そうなんだ、解決されない。相手が実際に変わったとしてもね」

そのとき、バドが口を挟んだ。

「それどころか、もっとひどいことになる。昨日話した、共謀のことを思い出してみてほしい。箱の中に入ったまま相手を変えようとしたとして、相手をほんとうに自分の望む方向に変えることができるだろうか」

「いいえ、正反対に動かすことになるでしょうね」

「そうなんだ。箱の中にいると、自分が変えようとしているものをさらに強めることになってしまう。だから、相手を変えることで箱から出ようとしても、結局は、箱の中に留まる理由を、相手から与えられることになる」

「だから、相手を変えようとしてもうまくいかない」

ルーはそういいながら、ホワイトボードに次のように書いた。

箱の中にいるときに、しても無駄なこと

1　相手を変えようとすること

＋相手と張り合っている自分に気づく

「全力を尽くして相手と張り合えば」とルーがいった。

「うまくいくだろうか」

「そうは思えませんね。それは本質的に、わたしがいつもしていることと同じです。でも、そのおかげで箱から出られていると は、とうてい思えません」

「たしかに。理由は単純。張り合うというのは、相手を変えようとするのと同じくらい、防御的な行動だ。これもやはり、相手を責めることになる。

だから、こちらが箱の中から相手を責めているということが伝わってしまい、結局は、相手を箱の中に入れることになる」

ルーはホワイトボードに向かうと、しても無駄なことのリストに「張り合う」と書き加えた。

箱の中にいるときに、しても無駄なこと

1　相手を変えようとすること

2　相手と全力で張り合うこと

今度はバドが口を開いた。

「では、これはどうだろう。その状況から離れるんだ。離れてしまえば、うまくいくだろうか。箱の外に出られるだろうか」

「そうですねえ、役に立つ場合も、あるような気がしますが」

「では、そのことについて考えてみよう。箱の中にいるときには、問題はどこにあると思っているんだろう?」

「相手にあると考えています」

「そうだ。ところで、自分が箱の中にいる場合、ほんとうはどこに問題があるんだろう」

「自分自身にあります」

「そうだ。となると、わたしがその状況から離れたとして、わたしは何を携えていくことになるかな?」

「問題を、携えていくことになる」

わたしは小声でそういうと、うなずいた。

「そうか、箱が一緒にくっついてくるんですね」

「その通り。箱の中にいる場合、その状況から離れるというのは、相手を責める別の方法にしかすぎないんだ。自分は箱の中に入ったままで、相変わらず、偽りの感情がついてまわる。場合によっては、離れることも正しいかもしれない。しかし仮にその状況から離れることが正しいことだとしても、それだけでは十分でない。なぜなら、最終的に、わたしは箱からも離れなくてはならないんだからね」

「ああ、なるほど」

「じゃあ、さらにこれも付け加えよう」ルーがいった。

箱の中にいるときに、しても無駄なこと

1 相手を変えようとすること
2 相手と全力で張り合うこと
3 その状況から離れること

＋「箱の世界」のコミュニケーション

「さらにもう一つ、コミュニケーションについてはどうだろう。コミュニケーションを取れば、箱の外に出られるだろうか」

「それはそうでしょう。つまり、コミュニケーションも取れないのでは、どうしようもないじゃありませんか」

「オーケー。ではこの点について、ていねいに見ていこう」

ルーはボードのほうを見た。

「自分の感情に背くということの話は、誰のことかな。バド、君のことかい」

「ええ」

バドがうなずいた。

「ああ、なるほど、奥さんの名前があるね。よし、これについて考えてみよう。ちょっとこのバドの話を見てくれないか。ここには、バドが自分の感情に逆らったときに、奥さんをどう見たかが書いてある。怠け者で、思いやりがなく、鈍感で、などなど。さて、そこで質問だ。この時点でバドが奥さんとコミュニケーションを取ろうとする、つまり箱の中に入ったままでコミュニケーションを取ろうとすると、相手に何を伝えることになるだろう」

「おやっ？」

その場合にどうなるかを思いめぐらしたわたしは、驚いた。

「バドは、自分が奥さんをどう思っているか、話すでしょうね。つまり、奥さんは怠け者で、思いやりに欠けていて、などなど」

「その通り。そういう話が、何かの役に立つだろうか。奥さんに対して、君はまったくひどい妻だと思っているといったとして、バドは箱の外に出られるんだろうか」

「いいえ。でも、バドがもう少し世慣れていたら、つまりもうちょっとうまくやれば、直接叱りつけたりせずに、話ができると思いますが」

「その通りだ。しかし、箱の中にいる限り、いずれにしてもバドは相手を責めることになる。たしかにノーハウをちょっとばかり身につけて、コミュニケーション能力を高めることは可能だ。しかし、そういったノーハウによって、相手を責める気持ちを隠し通せると思うかい?」

「いいえ、それは無理でしょう」

「わたしもそう思う。箱の中にいると、コミュニケーションが上手であろうとなかろうと、こちらに箱があることが、相手に伝わってしまう。そこが問題なんだ」

ルーは振り向くと、さらにリストに付け加えた。

箱の中にいるときに、しても無駄なこと

1　相手を変えようとすること
2　相手と全力で張り合うこと
3　その状況から離れること
4　コミュニケーションを取ろうとすること

＋人間関係にテクニックは有効か

「実際、これは、コミュニケーションスキルだけでなく、その他のスキルについてもいえることなんだ。こう考えてみてもいい。どのようなやり方を学ぼうと、それを使う状況には二種類ある。箱の中にいる場合と、箱の外にいる場合と。そこで、こういう疑問が起こる。箱の中でいろいろな手段を講じたら、箱の外に出られるんだろうか」

「いいえ、それは無理でしょう」

「だからこそ、技術分野以外で技能研修をやっても、ちっとも効果があがらないんだ。さまざまなテクニックがいくら有益なものであっても、箱の中で使っている限り、役には立たない。それどころか、相手を責める、さらに巧妙な手口になってしまうんだ」

「それに、注意してほしいんだが」とバドがいった。

「たいがいの人が、人間関係の問題を、さまざまなテクニックを使って修復しようとするが、こういった問題は、実は、やり方が下手なせいで起こっているわけじゃない。自分への裏切りが、原因なんだ。人間関係が難しいというのは、解決不可能だからではなく、よく見かけるあの手この手の解決法が、解決になっていないからなんだ」

「まったくその通りだ」

ルーはそういうと、振り向いてホワイトボードにさらに書き加えた。

「つまり、新しいスキルやテクニックを使えば箱の外に出られるというわけでもない」

箱の中にいるときに、しても無駄なこと

1 相手を変えようとすること
2 相手と全力で張り合うこと
3 その状況から離れること
4 コミュニケーションを取ろうとすること
5 新しいテクニックを使おうとすること

＋自分の行動は変えられるか

わたしはホワイトボードを見て、急にがっくりきた。一体全体、何が残るっていうんだ？

「考えられることは、もう一つある。自分自身を変えよう、自分の行動を変えようとしたら、箱の外に出られるだろうか？」

「外に出る方法は、それしかないんじゃありませんか」

「じゃあ、そのことを考えてみよう」

バドはそういうと、立ち上がって歩き回りはじめた。

「ちょっと込み入っているんだが、これは非常に重要なことでもある。昨日紹介した話をいくつか思い返してみよう。六番ビルのゲイブとレオンの話を覚えているかな？」

記憶を探ってみたが、どうしても思い出せなかった。

「いいえ」

「こういうことだ。ゲイブは、自分がレオンのことを気にかけているんだと、相手にわからせようとした。ありとあらゆる手を尽くしてね」

「ああ、なるほど。そうでしたね」

「この場合、ゲイブのレオンに対する態度は、劇的に変わっている。じゃあ、それでうまくいったろうか」

「いいえ」

「どうして?」

「ほんとうのところ、ゲイブにとって、レオンのことなんかどうでもよかった。そして、ゲイブがいくら態度を変えても、レオンにはそのことが伝わっていたからです」

「まさに。ゲイブはレオンに対して箱の中にいた。だから、箱の中にいるゲイブが何をやろうと、あくまでも箱の中での変化にすぎなかった。どう変わったところで、ゲイブにとってレオンは単なる物でしかなかったんだ。つまり」

バドの声には熱が込もっていた。

「ゲイブが新たに何をしようと、所詮、箱の中でのことにすぎなかった」

バドは、腰を下ろすと続けた。

「わたしが妻に謝って喧嘩を終わらせようとした話を、覚えているかな」

「ええ」

「あれも同じだ。あの場合、わたしは大きく態度を変えてみせた。口論していたのが、今度はキスしようとしたんだからね。じゃあ、態度を変えたことで、わたしは箱の外に出られたんだろうか」

「いいえ、本気でキスをしたわけじゃありませんでしたからね。まだ箱の中にいらした」

「そう。まさにそこなんだ」

バドはそういうと、わたしのほうに身をかがめた。

「箱の中にいたのでは、本気になれるわけがない。箱の中にいる自分の、みてくれを変えたにすぎないんだ。口論をキスに切り替えることはできる。ないがしろにしていた人に注意を向けることもできる。だが、そんなものは所詮、箱の中の変化であって、逆に問題の根っこである箱を補強することにしかならない。わたしにとって、相手はやっぱり物でしかないわけさ」

「その通り」

ルーはそういうと、ホワイトボードに近づいた。

「つまり、単に行動を変えただけでは、箱の外には出られない」

箱の中にいるときに、しても無駄なこと

1 相手を変えようとすること
2 相手と全力で張り合うこと
3 その状況から離れること
4 コミュニケーションを取ろうとすること
5 新しいテクニックを使おうとすること
6 自分の行動を変えようとすること

+頑張れば頑張るほどうまくいかない？

「でも、ちょっと待ってください。それなら、どうすれば箱から出られるっていうんです。箱の中にいて、そこから出たいと思っていても、箱からは出られないっていうんですか？　いくら努力しても、そんなのは所詮箱の中での努力にすぎず、失敗するとでも？」

「そうなんだ」とバドがいった。

「でも、それはないでしょう。相手を変えようとしても、張り合おうとしても、離れようとしても、コミュニケーションを取ろうとしても、新しいテクニックを使おうとしても、箱の外に出ることはできない。その上、自分を変えたところで、箱の外に出られないだなんて」

「自分のことを考え続けている限り、箱の外には出られない。箱の中に入っているときは、たとえ自分の行動を変えようとしたところで、結局、考えているのは自分のことでしかない。だから、行動を変えても駄目なんだ」

穏やかな口調だった。

「でも、それならどうすれば箱の外へ出られるというんです？　あなたがいう通りだとすると、箱から出る術がなくなってしまう。みんな、箱に閉じこめられたままだ」

そのとき、ルーが口を挟んだ。

「いや、それは違うな。箱から出る方法はある、あるにはあるが、みんなが考えているようなものではない。それにさっきもいった通り、君は、すでにどうすればいいか知っている。自分が知っているということに、気づいていないだけなんだ」

　わたしはじっと耳を傾けた。なんとしても理解したかった。

「昨日の晩、君は家族に対して箱の外にいたね」

「ええ、そうだったと思います」

「君の話からして、君は箱の外にいた。つまり、箱から出る方法が、存在するんだ。そこで、昨晩の君の体験について考えてみよう。君は昨晩、奥さんや息子さんを変えようとしたかい」

「いいえ」

「相手と張り合おうと思っていたかな」

「いいえ」

「そして、離れたりもしなかった。コミュニケーションについてはどうだろう？　奥さんたちと話をしたから、箱の外に出られたんだろうか」

「おそらくそうだと思うんですが。実にいい感じで話ができました。ここのところずっと、あんな感じでは話せていなかった」

「ああそうだろうね。だが、ほんとうに、話をしたから箱の外に出られたんだろうか。それとも、箱の外にいたからいい感じで話ができたんだろうか」

「ちょっと待ってください」

　ますますわからなくなってきた。

「わたしはすでに箱の外に出ていました。家に帰る途中で箱の外に出たんです。だから、話すことで箱の外に出たわけじゃありません」

「なるほど。では、最後のこれはどうだろう」

ルーはリストを指さした。

「箱の外に出られたのは、自分を変えようと頑張ったからだろうか」

どうなんだろう。いったい昨日のわたしはどうなっていたんだろう。すばらしいときを過ごせたというのに、どうしてそうなったのか、まるでわからなかった。エイリアンに誘拐されたみたいに、突然すべてが変わってしまったんだ。わたしは自分を変えようとしただろうか？いいや、そんな覚えはない。何かがわたしを変えたに違いない。少なくとも、わたしは自分を変えようとはしなかった。それどころか、自分を変えなくてはならないなどとほのめかされようものなら、きっと反発したに違いない。どうなってるんだ。どうやって箱から出たんだ？どうして感じ方が変わったんだろう。

＋

箱から出るために何をすべきか

わたしはついに口を開いた。

「どうもよくわからないんですが、自分を変えようとした覚えはありません。何かに変えられでもしたかのように、ただ変わってしまったんです。どうしてそういうことになったのか、皆目見当もつきません」

「じゃあ、参考になる話をしよう」と、バドがいった。

「昨日、このミーティングのはじめのほうで、箱の中にいるか外にいるかという違いは、行動より深いところでの違いだという話をしたよね」

「ええ」

「そして、飛行機の座席の話をした。箱の中にいようが外にいようが、ほぼすべての行動が可能だった」

「ええ」

「では、どうだろう。箱の中にいるか外にいるかという違いが、行動よりも深いところにあるとしたら、箱の外に出るうえで、行動が重要な役割を果たすということが、ありうるんだろうか」

そうか、やっと見えてきたぞ。

「いいえ、それはないでしょう」

突然、どうすれば箱から出られるのか、その答えが見つかりそうな気がしてきた。

「そう。つまり、自分がどうやって箱から出たのかを理解しようとしても、なかなかうまくいかないのは、箱から出るためにどう行動すればいいのか、その行動を突き止めようとしているせいじゃないかな。箱そのものが行動より深いところにあるわけだから、箱から出る方法も、行動より深いところにあるはずだ。箱の中にいようが外にいようが、外見上同じことができるということは、逆から見れば、行動だけでは箱の外に出ることはできない、ということでもある。探す場所を間違えているんだ」

「別のいい方をすると」とルーが口を挟んだ。「『箱の外に出るために何をすべきか』という質問には、大本のところで問題があるんだ。仮に、すべきことが見つかったとしよう。でもそれは、箱の中にいようが外にいようが実行できる。

ということは、箱の中でそれを実行したところで、箱の外には出られないわけだ。すると、こういいたくなる。

『なるほど。じゃあ、その行為を箱の外ですればいいわけだ』

その通り。しかし、すでに箱の外に出ているんだったら、今さら箱の外に出るために何かをする必要などない。つまり、いずれにしても、行動することでは箱の外には出られない、もっと別のものが必要なんだ」

「それはいったい、何なんですか」

「君の目の前にあるものだよ」

CHAPTER

21

+

自分が楽な人間関係を選択する

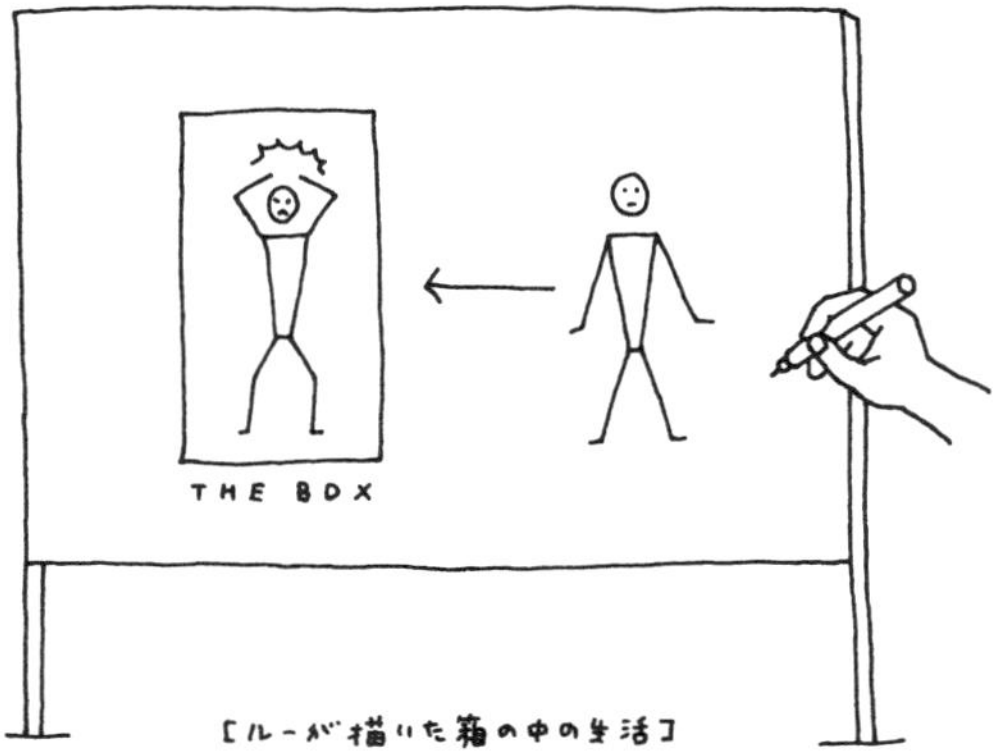

[ルーが描いた箱の中の生活]

「昨日の晩のことについて」ルーは続けた。「今君は、何かが自分を変えたような気がするといったね。そのことをもう少していねいに見ていこう。まずちょっと、自分への裏切りや箱について考えてみよう。まだはっきりさせなくてはならない点があるからね」

そういうと、ルーはホワイトボードに近づき、上のような図を描いた。

「これは、箱の中の生活がどんなものかを表した図だ」

ルーはそういいながら、図をさし示した。

「この箱は、わたしが他の人々にどのように抵抗しているかを、比喩的に表したものだ。『抵抗』、つまり刃向かって逆らうという意味の言葉を使ったのは、自分への裏切りが、決して受け身ではないからだ。箱の中にいるわたしは、人間である相手のために自分がなすべきだと感じたことに対し、積極的に刃向かい逆らっている」

＋相手に逆らうのをやめてみよう

「たとえば」といいながら、ルーは赤ん坊が泣いた話の図を指さした。

「この場合バドは、奥さんを寝かしておくために自分が起きようとするが、やめてしまった。はじめのうちは、奥さんのために何かをしてあげなくてはと感じていたが、その感情に抵抗した。こうして自分の感情に逆らったことによって、バドの関心は自分自身に移り、奥さんのことを、手助けするに値しない人間だと見なすようになった。バドの自己欺瞞、つまりバドの箱は、自分の感情に積極的に背くことによってバド自身が作り出し、維持しているものなんだ。だからこそ、さっきバドがいっていたように、自分をなんとかすることで箱の外に出ようとしても、無駄なんだ。箱の中にいるときに考えたり感じたりすることは、すべて箱によるまやかしにすぎないんだからね。ほんとうは、箱の外側にあるものに抵抗するのをやめた瞬間、つまり相手に逆らうのをやめた瞬間に、自分が変わりはじめるんだ。ここまでは、いいだろうか」

「ええ」

「相手に逆らうのをやめた瞬間に、箱の外に出ることができる。自分を正当化しようという考えや感情から解き放たれるんだ。だから、箱から出る方法は、常にわたしたちの目の前にあるということになる。だって、自分が抵抗している相手は目の前にいるんだからね。相手に対する自分の感情に背くのをやめて、相手に抵抗するのをやめることは、可能だ」

「でも、何か抵抗をやめる助けになるものはないんですか」

ルーは考え深げにわたしを見た。

「自分への裏切りについて、もう一つ知っておかねばならないことがある。それさえわかれば、君が探している助けも手に入るんじゃないかな。

昨日のミーティングを思い出してみてくれないか。どんなふうだったんだろう。君は基本的に、バドやケイトに対して箱の中にいたんだろうか、それとも外にいたんだろうか」

「ああ、もちろん外です。ほとんどの時間、外にいたといってもいいでしょう」

わたしがバドのほうを向いておずおずと笑ってみせると、バドもほほえみ返した。

「しかし、昨日の昼、君は奥さんに対しては箱の中に入ったままだった。つまり君は、箱の中にいながら、同時に箱の外にいたわけだ。奥さんに対しては箱の中に、バドとケイトに対しては箱の外に」

「はい、そうだと思います」

「さて、人は、さまざまな人やグループに対して、箱の外にいることもあれば、中にいること

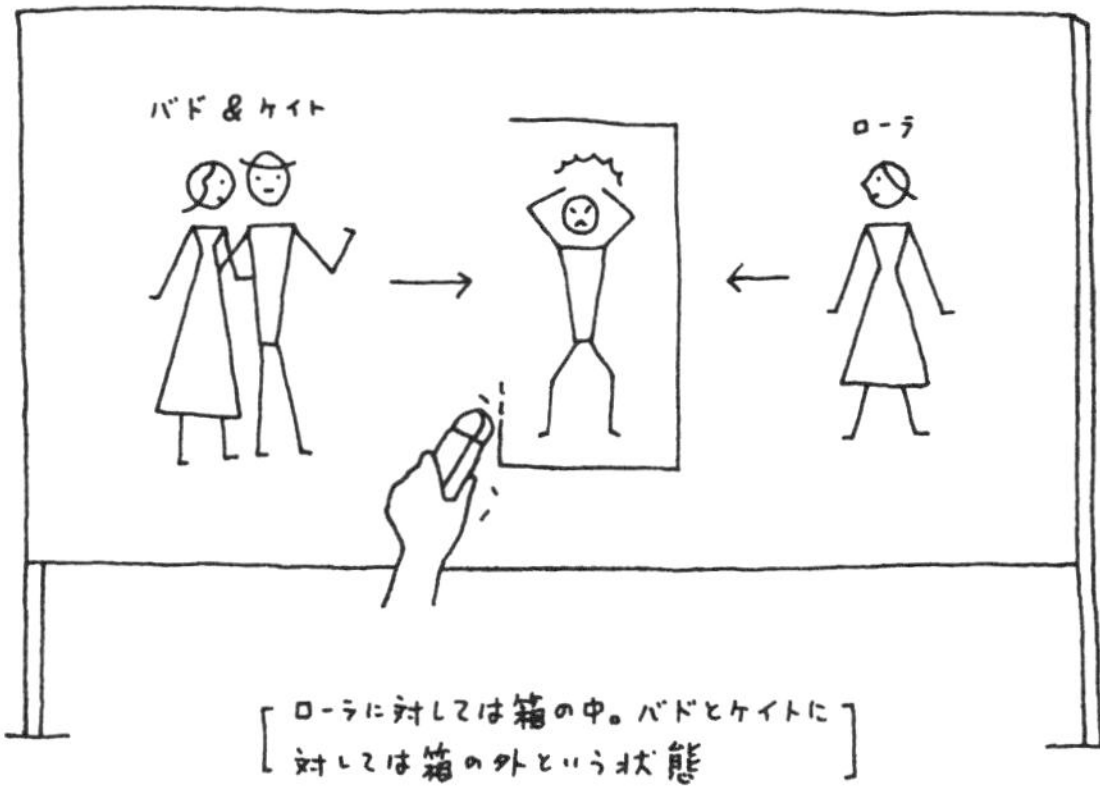
バド＆ケイト
ローラ
ローラに対しては箱の中。バドとケイトに対しては箱の外という状態

もある。日常生活の中では、実にたくさんの人々と関わる。だから、相手によって、こちらが箱に入っている時間が長かったり短かかったりと、差がでてくる。しかしいずれにしても、人は箱の中にいながら、同時に箱の外にもいられる。ここがポイントなんだ。誰それに対しては箱の中にいて、誰それに対しては箱の外にいるといった具合にね。

これをうまく利用すれば、やっかいな場面でも、箱の外に出ていることが可能になる。実際、昨日君はこれをうまく使ったんだ。どういうことかというと……」

ルーはホワイトボードに近づき、図を描きかえた。

「昨日の昼間の君は、こうだったんじゃないかな」

ルーはそういうと、ホワイトボードの横に立った。

「君は奥さんに対しては箱の中にいたが、バドとケイトに対しては箱の外にいた。さて、注意してほしいんだが、奥さんに対して箱の中にいた君は、奥さんのニーズには抵抗していたが、それでも、人が一般的に何を必要とするものであるかは感じとることができた。それというのも、他の人、つまりバドやケイトに対しては、箱の外にいたからだ。バドやケイトに対する自分の感情を大切にしようという君の姿勢と、奥さんの発する人間性というか、情の呼びかけが相まって、君は、奥さんに対しても箱から出ることができた。人の情は、たえず相手の心に呼びかけているものだからね。

つまり、箱の中にいる人間がいくら箱から出ようとあがいても、どうにもならないわけだが、その一方で、箱の外に出た形の人間関係が一つでもあれば、箱の中にいる時間を減らしたり、箱の中に入ったままだった関係を修正したり、いろいろなことができる。昨日君が経験したことは、まさにこれなんだ。君は、バドやケイトに対して箱の外にいるあいだに、あることをした。そしてそれを支えとして、奥さんに対しても箱の外に出ることができたんだ」

あること？　いったい何だろう、とわたしは思った。

十「自分が間違っているのかもしれない」

「いったいわたしが何をしたというんです」

「果たして自分に非はなかったんだろうかと、自分を疑ったろう？」

「え？」

「ひょっとしたら自分が間違っているのかもしれないと考えた。君は箱の外に出て、箱の中にいるということがどういうことかを説明しているバドやケイトの言葉に耳を傾けた。そしてそれを自分自身の状況に当てはめた。バドやケイトといるあいだは箱の外に出ていたから、箱の中にいたら決してできないことが可能になった。つまり、他の場面でも、気づかないうちに箱の中に入っていることがあるんじゃないか、と自分を疑ったわけだ。そしてミーティングの結果、奥さんを見る目が変わった。

すぐにそうなったわけではないかもしれない。しかしいずれにしても、光がさっとあふれるような瞬間があったんじゃないかな。奥さんを責める気持ちがすっと消えて、突然奥さんがまるで違った人間に見えはじめた、そんな瞬間が」

まさにその通りだ。あの瞬間、自分の怒りの中に偽善があることに気づいたあの瞬間に、すべてが変わったんだ。

「ええ、おっしゃる通りです」

「となると、この図をさらに描きかえなくてはならないな」

ルーはそういうと、ホワイトボードのほうを向いた。

しばらくしてホワイトボードから離れると、ルーはいった。

「昨日の夕方、ここを去ったときの君は、こういう状態だったんだ。

物事をまっすぐに見つめて、感じとっていた。箱から出たとたんに、奥さんを責める必要もなくなったし、奥さんの欠点を大げさにあげつらう必要もなくなった。だから、奥さんのこと

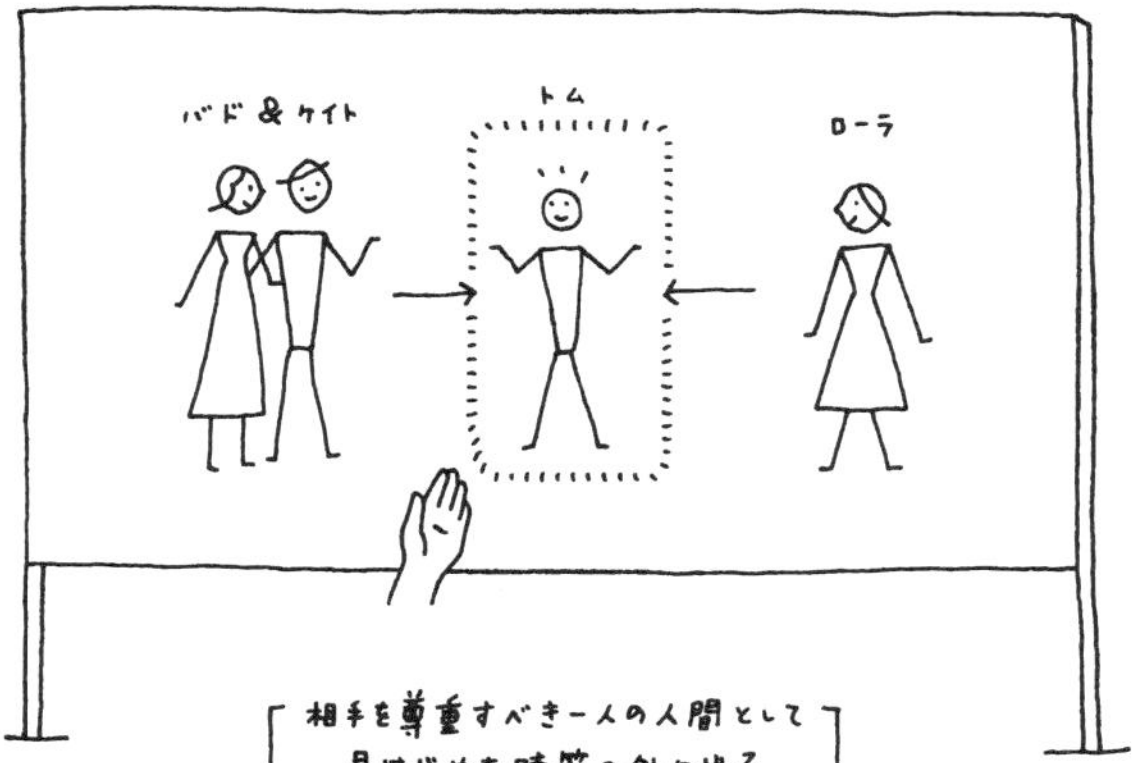
バド＆ケイト
トム
ローラ
相手を尊重すべき一人の人間として
見はじめた時箱の外に出る

が、前とは違ったふうに見えていた。

まるで奇跡のような話だが、見方を変えればごくありふれたことでもある。

日常生活では、こんなことは絶えず起こっている。たいていは、すぐに忘れてしまうようなごく些細なことなんだが。

目の前にいる人々が常に持っている基本的な『他者性』、つまり相手は自分とは違う一個の独立した人間であるという事実と、目の前にいるのとは別の人たちとともに箱の外に出ているあいだに学んだことが相まって、相手の人間性が、わたしたちの箱を突然突き通す瞬間があるんだ。

その瞬間に、自分が何をなすべきかがわかり、相手を人間として尊重しなくてはならないということがわかる。

相手を、自分と同様きちんと尊重されるべきニーズや希望や心配ごとを持った一人の人間として見はじめたその瞬間に、箱の外に出るんだ」

「昨日この部屋を後にしたときに、君は、誰かに何かをしてあげたいという気持ちになっていたんじゃないかな。違うかい？」ルーが付け加えた。

「ええ」

「で、その通りにした」

「ええ」

「だからああなったんだ。君は、バドやケイトと一緒にいるときに、すでに奥さんや息子さんに対しても箱から出ていた。だが、すばらしい夜を過ごせたのは、自分がなすべきだと思ったことを実行し、それによって、箱の外に留まり続けたからなんだ」

たしかにルーのいう通りなのかもしれない。でも、わたしはこの状況全体に少しばかり困惑し、圧倒されていた。

人間が、他の人のためにしてあげるべきだと考えたことをすべて実行するなんて、そんなことがありうるんだろうか。それはないだろう。

「ということは、箱の外に居続けるためには、他の人たちに常にいろいろなことをしてあげなくてはならない、ということですか」

ルーが、そうくると思ったといわんばかりの顔で、ほほえんだ。

「その質問は、とても重要な意味を持っている。その点については、さらに注意深く検討しなくては。では、具体的な例で考えることにしよう」

　そういうと、ルーはしばし口を閉じた。考えを巡らしているようだ。

＋「相手のため」に行動することは損か

「たとえば、自動車を運転しているときで考えてみよう。車を運転しているときの、他のドライバーに対する自分の態度について、君はどう思う？」

　わたしは、いくつかの通勤風景を思い出して、思わず笑みをもらした。

　合流点でゆずってくれないドライバーに向かって拳を振り上げたものの、無理矢理割り込んでみると、そのドライバーがお隣さんだったこと。

　ひどいのろのろ運転をしているドライバーにいらついて、追い抜きざまににらみつけてやったら、恐ろしいことに、またしても同じお隣さんだったこと。

「他のドライバーには、まるで無関心だと思います」

　わたしはおかしさをこらえきれず、くつくつ笑った。

「こちらの邪魔にならない限り、ですが」

「どうやら、君とわたしは同じ教習所に通っていたようだな」

　ルーはそういうとほほえんだ。

「だが、わたしの場合、そうだなあ、他のドライバーに対して、ときどきまるで違った感じを持つことがある。

たとえば、この人たちもわたしと同じくらい忙しいんだ、わたしと同じように自分の暮らしに汲汲《きゅうきゅう》としているんだ、と思ったりする。そしてそんなとき、つまりわたしが箱から出ているときには、他のドライバーがまるで違って見えてくる。ある意味で、彼らのことが理解でき、関係が持てそうな気がしてくる。ほとんど何も知らない赤の他人だというのに」

わたしは相槌を打った。

「たしかに。わたしにも覚えがあります」

「よかった。じゃあこれからわたしがいうことも、わかってもらえると思う。そういう経験を念頭に、君の質問について考えてみよう。

君の心配はこういうことだろう？　他の人のためにしなくてはならないことが思い浮かぶたびに、それをすべて実行しなくては、箱の外に出ていられないんだろうか。そんなのは、無鉄砲とまではいかなくても、とてもじゃないが、手に余ることだろう、とね」

「そう、そんな感じですね」

「なるほど。では、箱の外にいるせいで、君が心配するような『しなければならない義務』の大群が生まれてしまうものなのかどうか、自動車を運転している場合で、考えてみよう。

まず、はるか先を行く車に乗っている人やはるか後ろを走っている車に乗っている人については、どうだろう。こういった人々に対する行動は、箱の外にいるからといって、大きく変わるだろうか」

「いいえ。それほど大きくは変わらないでしょう」

「近くのドライバーはどうだろう」

「変わるでしょうね」

「なるほど。では、どんなふうに変わるかな？」

わたしは、リアミラーで隣人の姿を確認する場面を思い浮かべた。

「おそらく、今ほど相手を切り捨てたりしなくなるでしょうね」

「なるほどね、他には？」

「もっと思いやりを持って、安全運転を心がけるでしょうね。それに……」

わたしは、にらみつけたら相手が隣人であることに気づいたときを思い出しながら続けた。

「もっとにこやかになるかもしれません」

「ようし、そんなところでいいだろう。では、そういうふうに行動を変えるなんて、とても手に負えない、負担だと感じるかね」

「いいえ」

「つまりこの場合、箱の外に出て他の人々を人間として見たところで、突然ずっしりと重たい義務感に攻めたてられるわけではない。

というのも多くの場合、箱の外に出ることによって他の人々との関係が根本的に変わり、それだけで、他の人々をあるがままの人間として見るという、人間としての基本的な義務を果たしたことになるからなんだ。わかるかな」

「ええ、わかるような気がします」

「じゃあ、もう一つ付け加えよう」

ルーは前かがみになると、テーブルの上で腕を組んだ。

「ときには、他の人たちに対して、もっといろいろなことをしてあげなくては、と強く感じることがある。とりわけ長い時間一緒に過ごしている家族に対して、あるいは友達に対して、あるいは同僚に対してね。

こういった人たちのことはよく知っていて、彼らの望みやニーズや心配や恐れも、よくわかっている。それに、何かと迷惑をかけている可能性だって大きいわけだから。当然、そういった人々に対しては、大きな義務感を抱くというわけだ。

さて、今まで話してきたように、箱の外に留まり続けるうえで肝心なのは、箱の外に出ているときに、自分が他の人に対してなすべきだと感じる、その感覚を尊重することだ。

しかし、だからといって、必ずしも感じたことをすべて実行すべきだ、というわけではない。なぜなら、人それぞれに大事にしなくてはならない責任やニーズがあって、他の人に思うように手を貸せない場合もあるからね。

それでも、精一杯のことはできるわけで、その場合は、箱の外にいるからこそ、他の人たちを人間として見ているからこそ、そして自分がしたいからこそ、手を貸すわけだ」

ルーは、しっかりとわたしを見据えていった。

「自己正当化イメージのことは、もう知っているね」

「ええ」

「それなら箱の中にいる人間が、どれほど不安定な状態で暮らしているかも、わかっていると思う。なんとしても自分を正当化しなくてはならない。

自分は思慮深い人間だとか、価値ある人間だとか、高貴な人間だとか、しじゅう自分の徳を見せつけていなくてはならないのだから、これは大変だ。

実際、手に余るという点では、他の人に対してすべきことよりも、箱の中で自分を証明してみせることのほうが、よほど手に余るんじゃないかな。

これまでの生活を振り返ってみれば、君だって思い当たることはあるだろう。

箱の外にいるときよりも、箱の中にいるときのほうが、はるかにしなければならないことが多く、負担が大きいと感じていたはずだ。

たとえば、昨日の晩と、君が奥さんたちと過ごしたそれまでの晩を比べてみてもいい」

たしかにそうだった。

昨晩、わたしは久しぶりで家族のためにいろいろなことをした。にもかかわらず、これほどくつろげたことはないと感じていたのだ。

ルーに代わって、今度はバドがわたしにたずねた。

「これで、君の疑問は解けただろうか」

「ええ、よくわかりました。ありがとうございます」

わたしはルーにほほえみかけた。

ルーはうなずくと、満足そうな様子で椅子に深く腰かけた。

ルーの視線は、わたしを通り越して窓の外を見ていた。バドとわたしは、ルーが口を開くのを待った。

「あのアリゾナのセミナールームで」

ついにルーが口を開いた。

「君がここで学んだのと同じ内容を学んだとき、わたしの箱は溶けはじめた。そして、会社の人間へのそれまでの自分のしうちを、深く悔やんだ。

悔やんだ瞬間に、わたしは彼らに対して箱から出ることができた。

ザグラムの未来は、わたしが箱から出たままでいられるかどうかにかかっていた。だが、箱の外に留まり続けたいのなら、大至急するべきことがあった」

CHAPTER

22

+

何のために努力するのか

「何をしなければならなかったか、それをわかってもらうには」

ルーはそういって立ち上がった。

「わたしが自分をどのように裏切っていたかを、理解してもらわなくてはならない」

ルーはテーブルに沿って歩きはじめた。

「一言に自分への裏切りといっても、いろいろあると思う。だが、アリゾナで学んだことの意味をさらに考えていったとき、わたしは自分が、自分への裏切り行為のなかでも一番ありふれたやり方で自分の感情に背き続けてきたことを、悟ったんだ。しかもそれまでの長い年月、会社のほとんどの人間が、わたしと似たような形で自分の感情に背くようになっていたことに気づいた。だから、社員が自分への裏切りに陥らずに、箱の外に留まり続けられるような支援体制を、全力で整えた。そういう体制を確立できたからこそ、この会社は成功を収めたわけだ」

「それは、具体的には、どういうことなんですか?」

わたしはたずねた。

「そうだな、逆にちょっとたずねたいんだが、わたしたちは会社で、何のために努力しているんだろう」

「業績をあげるためです」

ルーは立ち止まった。

「いや、実にすばらしい」

どうやらわたしの言葉に強い印象を受けたようだ。

「昨日、バドが話してくれたものですから」

少しばかりおどおどした声になってしまった。

「ああ。ということは、もう、職場での根本的な自分への裏切りのことは、話したのかい？」

ルーはバドのほうを見た。

「いいえ。箱の中に入っていると、成果に気持ちを集中できなくなっているんだということは少し話しましたが。何しろ自分に集中するんで手一杯になってしまいますからね。でも、具体的なことは何も話していません」

＋「ひどい人間」が自分をダメにする？

「わかった。ところで、君がこの会社に来て、どれくらいになる。一ヵ月くらいかな」

「ええ、ちょうど一ヵ月を過ぎたところです」

「どうしてザグラムに来ることになったのか、話してくれないか」

わたしはルーとバドに、テトリックス社での経歴をかいつまんで話し、ずっと前からザグラムの業績に感銘を受けていたことや、面接の具体的な内容について話した。

「ポストを提供されたとき、どう感じた？」

「天にも昇る心地でした」

「仕事をはじめる前の日、君は、自分の同僚になる人々に、好感を持っていただろうか？」

「もちろんですとも。一緒に仕事ができると思うと、すっかり気持ちが高ぶってしまって」

「同僚の役に立ちたいと、思っていたのかな？」

「もちろんです、なんとしても役に立ちたいと」

「で、自分がザグラムでどんな仕事をどういう具合にしていくか、それについては、どう考えていた？」

「そうですね。一生懸命働いて、ザグラムの成功のために全力を尽くそうと」

「わかった。今のは、君がこの会社に入る前の気持ちだね。ザグラムとその社員の成功を助けるために、最善を尽くそうと思っていたわけだ。あるいは君のさっきの言葉を借りれば、業績をあげるために」

「ええ」

ルーはホワイトボードに近づいた。

「これを、すこし書きかえてもいいかな」

ルーはそういいながら、赤ん坊が泣いた話の図を指さした。

「もちろんです。どうぞ」とバドがいった。

ルーは図の一部を消すと、何かを書き加えた。

できあがった図は、次頁のようなものだった。

「さて、人間誰しも、仕事をはじめるときには、君と同じように感じているものだ。ポストが見つかり、チャンスを与えられたことに、感謝している。その会社とそこで働く人たちのために、最善を尽くそうとする。

だが、一年後に同じ人間にインタビューしてごらん。多くの場合、彼らの気持ちは入社当時とはまるで違ってしまっている。同僚に対する感情も、奥さんに対するバドの感情と似たりよったりだ。かつては仕事に積極的に取り組み、関わろうとし、しっかりとしたモチベーションを持って喜んで一緒に働いていこうとしていた人々が、ふと気づけば、たくさんの問題を抱えているというわけだ。では、彼らはそういった問題が誰のせいだと思っているんだろう」

「自分以外の人間のせい、ボスや同僚や部下のせい、いや会社そのもののせいだと思っているわけですね」

「そうなんだ。しかし、そうでないことははっきりしている。誰かを非難しているときには、

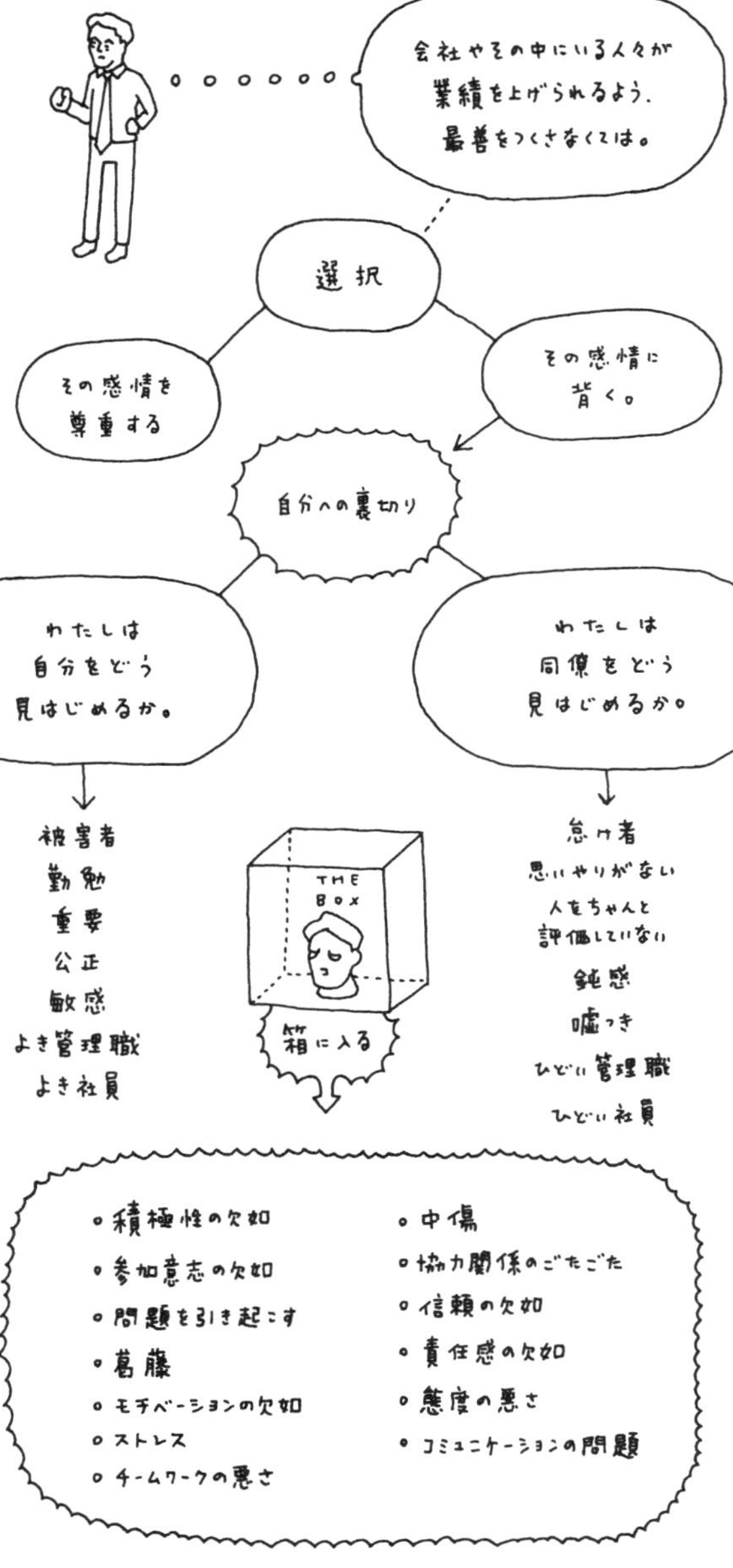
会社やその中にいる人々が
業績を上げられるよう、
最善をつくさなくては。
選択
その感情を
尊重する
その感情に
背く。
自分への裏切り
わたしは
自分をどう
見はじめるか。
わたしは
同僚をどう
見はじめるか。
被害者
勤勉
重要
公正
敏感
よき管理職
よき社員
THE
BOX
箱に入る
怠け者
思いやりがない
人をちゃんと
評価していない
鈍感
嘘つき
ひどい管理職
ひどい社員
○積極性の欠如
○参加意志の欠如
○問題を引き起こす
○葛藤
○モチベーションの欠如
○ストレス
○チームワークの悪さ
○中傷
○協力関係のごたごた
○信頼の欠如
○責任感の欠如
○態度の悪さ
○コミュニケーションの問題

その原因は相手にではなく自分にある」

「でも、いつもそうなんでしょうか。つまり、テトリックス社でのわたしの上司は、ほんとうにひどい人間でした。ありとあらゆるトラブルを引き起こしていたんです。なぜそうなってしまったのか、今ならわかります。あの人は、深い箱の中にはまりこんでいたんです。そして、自分の部署の全員を、ひどい目に遭わせていました」

「なるほど。ここでだって、君がいくら箱の外に居続けようと努力したところで、やはり君をひどい目に遭わせる人間に出くわす可能性はある。だが、この図を見てみてくれたまえ」

ルーは箱に入った人が互いに責めあっている図を指さした。

「この人物が同僚を責めているのは、何にせよ同僚がしたことが原因なんだろうか。いいかえれば、人は、相手が箱に入っているせいで、自分も箱に入るんだろうか。箱に入る原因は、そこにあるんだろうか」

答えはもちろん「いいえ」だ。

「いいえ、箱に入るのは、自分を裏切るからです。それはわかってるんです。ただ、箱の中に入らずに相手を責めるということはありえないのか、それが知りたいんです」

ルーはわたしをじっと見つめた。

「何か具体的な例があるのかな」

「ええ、テトリックス社の前のボスのことなんですが。たしかにわたしは長いあいだこのボスのことを責めてきました。でも、彼はほんとうにひどい奴なんですよ。実に問題が多かった」

「なるほど。では一緒に考えてみよう。箱の中に入らず、むげに相手を責めたりせずに、しかも、相手に大いに問題があるということを認識できると、思うかい」

「ええ、できると思いますが。とにかく、相手を責めている場合は、必ずこちらが箱の中に入っている、ということになるんでしょうか」

「ああ、そう考えていいと思う。相手を責めたとして、それで相手はよくなるだろうか?」

突然わたしは、自分が裸にされてしまったような、今まさに自分の嘘がみんなにばれようとしているところのような気がしてきた。

「いいえ、よくはならないでしょうね」

「ならないでしょうね、だって?」

「よくなりません。責めたところで、相手はよくはなりません」

「責めると、相手はもっとひどくなったりするんじゃないか?」

「ええ、そう思います」

「なるほど。となると、相手を責めることは、会社の業績があがるよう力を尽くす、という有益な目標に、かなったことだといえるだろうか。相手を責めたら、箱の外での目標を達成するうえで、何かプラスになるんだろうか」

＋箱の中にいる限り問題は解決できない

何をいえばいいのかわからなかった。わたしは別に、何か箱の外での目標があって、チャックを責めていたわけではない。それはたしかだ。わかってはいた。わたしはチャックに対して、長いあいだ箱の中に入っていた。

ルーに質問をぶつけたのは、相手を責めていた自分を正当化したかったからにすぎない。そして、わたしが自分を正当化しなくてはと思ったということは、わたしの中に、自分への裏切りがあったということだ。つまりルーは、わたしを自分の中の嘘と向き合わせたことになる。

「いいえ」

バドが口を開いた。

「君が何を考えているのか、わかるような気がする。君は運悪く、しょっちゅう箱の中に入っている人間と働いていた。つらかったと思う。そういう場合、こちらもいとも簡単に箱に入ってしまうことになる。あいつがひどいんだから！　と、簡単に自分を正当化できるわけだからね。でもいいかい、いったん箱に入ってしまうと、相手をひどい奴だと責めている自分を正当化するためにも、実際に相手がひどい奴であってくれなくては困ることになる。箱の中にいる限り、問題が必要だからね。

そして、こちらが箱の中に留まり続ける限り、相手はひどい奴であり続ける。こちらが責めれば責めるほど、相手は責められるようなことをするわけだ。

相手が箱に入っていることを責めたりせずに、しかも相手の箱の存在に気づけたなら、そのほうがずっといいと思わないか。結局のところ、こちらもときには箱の中に入ってしまうわけだから、箱の中にいるということがどういうものか、感覚的に、わかっている。さらに、箱の外にいさえすれば、箱の中にいるのがどういうことか、頭でも理解できる。それに、こっちが箱から出てしまえば、相手がひどい奴である必要はなくなり、相手をひどい奴にする必要もなくなる。だから、つらい状況を悪化させるのではなく、よい方向に持っていくことができるようになる。

もう一ついえることがある。箱の中にいるリーダーが、会社にどれほどのダメージを与えるかは、わかったことと思う。なにしろ、周りの人をいとも簡単に箱の中に逆戻りさせられるんだから。

ということは、そういったリーダーになってはならない、ということだ。それが、リーダーとしての義務なんだ。こちらが箱の中にいる限り、仮に周りの人々が君に従ったとしても、それは単に力に屈して、あるいは力を恐れて従っているだけなんだ。そんなものは統率力なんかじゃない。ただの威圧だ。みんなが進んで従いたいと思うのは、箱の外に出ているリーダーなんだ。今までの自分の経験を振り返ってみれば、君にもそのことはわかるはずだ」

わたしの頭の中からチャック・スターリの顔が消えて、テトリックス社での最初のボス、アモス・ペイジの顔が浮かんだ。アモスのためなら、わたしは何でもする覚悟だった。厳しい人で、要求水準も高かったが、およそ人間としては、もっとも長く箱の外に留まり続けていた人といっていい。仕事や業界に対する彼の熱意に触れたからこそ、わたしのこれまでのキャリアがあるのだ。顔を合わせなくなって、もうずいぶんになる。わたしは心のメモに書き留めた。あいさつがてら、近々アモスのところに寄ってみよう。

「つまり、君のリーダーとしての成功は、自分への裏切りからどれだけ自由でいられるかにかかっている。自分への裏切りから自由になってはじめて、他の人たちを病原菌から解き放つことができるんだから。そうなってはじめて、リーダーになれる。人々から信頼され、期待に応えようという気を起こさせ、一緒に働きたいと思わせる、同僚になれるんだ。

周りの人のためにも、君は箱から出なくてはならない。ザグラムのためにも、箱から出なくてはならないんだ」

＋リーダーのあるべき姿

バドが立ち上がった。

「リーダーのあるべき姿について、一つ例を挙げよう。新米弁護士だったわたしは、はじめて担当したプロジェクトで、カリフォルニア州のトレーラーハウスに関する法律について詳しく調べなければならなくなった。わたしが行う調査の結果は、事務所の一番の得意先にとって、非常に重大な意味を持つものになるはずだった。その顧客は、大規模な土地買収を行ってトレーラーハウスパークを建設するという事業拡張を、計画していたんだ。

事務所に入って四年目のアニタ・カルロという事務弁護士が、わたしの仕事を監督することになった。アニタは勤めはじめて四年、パートナー（共同経営者）候補になるまでには、あと三年あった。入社初年度の人間なら、多少のミスをしても許される。しかし四年目となると、そうはいかない。四年も経てば、仕事にも慣れているはずだし、信頼できて有能なはず。だからこの時点で何かミスをしてしまうと、ふつうは、パートナー候補を審査する上役たちの投票で、非常に大きなマイナスとして評価されることになる。

さて、わたしはそのプロジェクトに全力投球し、一週間ほどで、カリフォルニアのトレーラーハウス関連の法律なら誰にも引けを取らないといっていいレベルに達した。やったぜ！ってなもんだ。調査内容すべてをまとめ、膨大な量の文書を作り上げた。アニタもプロジェクトをリードしていたパートナーも喜んだ。調査の結果は、顧客にとって好ましいものだった。何もかもがうまくいって、わたしはまるでヒーローになったような気分だった。

二週間ぐらい経って、わたしはアニタと一緒に彼女のオフィスで仕事をしていた。そのとき、アニタが何気ない調子でいった。

『あ、ところでちょっと聞こうと思っていたんだけど。あの調査資料を作るとき、ポケット・パートもチェックしたのよね』」

わたしはバドにたずねた。「ポケット・パートって何ですか？」

「君も知っていると思うが、法律書というのは、ひどく厚い。それを毎回全部印刷するのは大変なので、いわゆるポケット・パートという方法が編み出されたんだ。法律書には、条文の最新の変更もきちんと反映されていなくてはならない。だから常時改訂する必要がある。しかし、非常に高価な本をしょっちゅう印刷し直すのはやっかいなので、法律関係の参考図書では、多くの場合、後ろにポケットがついていて、毎月の法律の更新部分が収められているんだ」

「つまりアニタは、あなたが法律を分析したときに、最新情報まできちんとチェックしたのか、とたずねたわけですね」

「その通り。それを聞いて、わたしは、穴があったら入りたいと思った。というのも、気が急いでいたわたしは、ポケットをチェックすることを完全に忘れていたんだ。

で、事務所の法律図書館に急ぐと、調べ物に使った本を片っ端から引っぱり出した。その結果、法律に変更があったことが判明した。何もかもが変わってしまうくらい大きな変更だった。わたしは、危うく顧客をマスコミ攻勢や裁判沙汰の悪夢のただ中に放り込むところだった」

「冗談でしょう」

「いや、ほんとうなんだ。アニタとわたしはオフィスに帰って、プロジェクトをリードしていたジェリーというパートナーに、その悪いニュースを伝えた。ジェリーは他の都市にいたので、電話をかけることになった。君がアニタの立場だったら、つまり、パートナー候補生として細かくチェックを入れられている身だったら、ジェリーに何というかな」

「そうですねえ、新入り弁護士のせいでやっかいなことになった、みたいなことをいうでしょうね。これが自分のミスではないということを、なんとかしてボスにわからせようとするんじゃないかな」

「わたしもそうしたと思う。しかし彼女はそうはしなかった。こういったんだ。

『ジェリー、あの事業拡張に関する分析のことですけど、わたし、ミスをしてしまったんです。ごく最近、法律が変わったのに、それを見落としていました。あの事業拡張方針では、具合が悪いんです』

わたしは、啞然としてアニタの言葉に耳を傾けていた。こんなことになったのはアニタのせいじゃない。わたしのせいだ。それなのに、アニタは大きな危険を冒してまで、そのミスの責任をとろうとしていた。わたしの名前は一度も出さなかった。

『あなたがミスをしたなんて、何いってるんですか？　ポケット・パートをチェックしなかったのは、このわたしなんですよ』

わたしがそういうと、アニタはこう答えた。

『たしかにあなたはポケット・パートをチェックしなかった。でも、わたしはあなたの直接の監督者なの。これまでに何度も、チェックするようにいおういおうと思いながら、今日まで確認をしなかった。確認しなくてはと思ったときにそうしていれば、こんなことにはならなかったのよ。たしかにあなたはミスをした。でも、わたしもミスをしたの』

どうだろう、アニタはわたしを責めることができたろうか」

「もちろんです」

「それに、わたしを責める自分を正当化することも、できたはずだ。だって結局のところ、わたしは実際に責められるだけのミスをしたんだから」

「ええ、その通りですね」

「でも、いいかい」

バドは感慨深げにいった。

「アニタにはわたしを責める必要はなかったんだ、わたしがミスをしていてもね。だって、アニタは箱の中に入ってなかったんだから。箱の外にいたから、自分を正当化する必要がなかった」

バドは黙り込むと、深々と椅子に腰を下ろした。

「それに、おもしろいことがあるんだ。アニタが自分にもミスの責任があるといったことで、わたしは自分の責任を重く感じただろうか、それとも軽く感じただろうか」

「重く受けとめたんじゃありませんか？」

「そうなんだ。一〇〇倍も重く受けとめた。アニタが自分の比較的小さなミスを正当化しようとしなかったものだから、わたしも、自分の大きなミスの責任をとろうという気になった。

その瞬間、わたしは、アニタのためなら煉瓦の壁だって通り抜けてみせる、という気持ちになった。

もしアニタがわたしを責めていたら、かなり違っていただろうな。アニタがジェリーとの電話でわたしを責めていたら、わたしはどんなふうに反応しただろう」

「はっきりしたことはわかりませんが、おそらく、何かアニタの弱点を見つけようとしたでしょうね。そして、こんな奴のために働けるか、と思ったんじゃありませんか」

「その通りだ。そしてその瞬間から、アニタもわたしも、本来一番力を注ぐべき顧客の利益保護のための成果からは目をそらして、自分たちのことにかまけていたはずだ」

「わたしが」とルーが口を挟んだ。

「アリゾナでの研修で気づいたことは、まさにこれだった。ザグラムとその社員が業績をあげるのを全力で支援するどころか、わたしは正反対のことをしていた。事業において、自分が他の人々のためにしてあげなくてはならないと感じたことに、逆らい続けていたんだ。その結果、箱の中に深くはまりこんでいた。業績なんかどこへやら、自分しか見ていなかった。そして、あらゆることで他の人々を責めた。ちょうどこの図みたいにね」

ルーはそういうと、ホワイトボードを指さした。

「そのことに気づいたわたしが、さぞや暗い気持ちになって落ち込んだと思うだろう？　ところがわたしは、何ヵ月もの間感じたことがなかったほどの、希望や喜びを感じていた。そして、ともかくケイトに会わなくては、と思った」

CHAPTER

23

+

本気にならなければ人はついてこない

「次の日の晩、わたしたちは夜行便でアリゾナを発った。家に帰る前に、サンディエゴで数日間のんびりしようと思っていたのだが、すべてキャンセルした。ケイトが、数日のうちにベイエリアで新しい仕事をはじめるという話を耳にしていた。彼女がベイエリアに向けて発つ前に、なんとしても会わなくてはならなかった。届けなければならないものがあったんだ」

ルーのまなざしは、窓の外に向けられていた。

「梯子《はしご》を持っていかなくてはならなかった」

「梯子?」

+相手に伝えなければならないこと

「ああ、そうだ。ケイトが辞表を出す直前に、わたしは、ケイトが統括する販売部門から梯子を撤去するよう命じていた。ケイトの部署は、ある販売目標を達成するためにイメージとして梯子を使うことを決定していた。馬鹿げていると思ったわたしは、ケイトに意見を求められたときに、その旨を伝えた。しかしそれでも、連中は梯子を設置してしまった。その夜遅く、わたしは管理スタッフに、構内から梯子を撤去するよう命じた。

三日後、ケイトをはじめとする五人のメンバーがやって来て、辞表を提出した。いわゆるマーチ・メルトダウン（三月の大崩壊）の連中だ。わたしは保安係に命じて、全員を一時間以内に構内から排除させた。オフィスに戻ることすら許さなかった。あんなふうに逆らう奴なんぞ信用できない、と思ったんだ。それが、ケイトと会って言葉を交わした最後になった。

うまく説明できないんだが、ケイトのところに梯子を持っていかなくてはならないということだけはわかっていた。一種のシンボルだったんだ。だから、梯子を持っていくことにした。

妻とわたしは、日曜日の朝六時頃にニューヨークのケネディー空港に着いた。妻をリムジンで家に送り届けると、わたしはそのままオフィスに向かった。そして備品を入れてある物置を引っかき回し、梯子を見つけると、リムジンの屋根にそれをくくりつけ、すぐにケイトの家に向かった。ドアベルを鳴らしたのは九時半頃、わたしは梯子を背負っていた。

ドアが開いて、ケイトが姿を現した。目を丸くして、こっちを見ている。

『何もいわないで、ともかく聞いてくれ。どういったらいいのかよくわからないんだが。まず、日曜日の朝にこんなふうに押しかけてきてすまない、でも待っていられなかったんだ。わたしは……わたしは……』

ケイトは突然、弾けるように笑い出した。

『ごめんなさいね、笑ったりして』

そういうと、ケイトはドアの脇の柱に寄りかかった。

『何か真剣な話をしに来たんだろうっていうことはわかる。それでなくちゃ、こんなところまで来ないもの。でも、あなたったら、梯子の重さで二つに折れそう。見てられないわ。さあ、手を貸すから梯子を下ろしてちょうだい』

『その梯子のことなんだが』わたしはいった。

『そうだ、そこからはじめよう。あんなことはすべきじゃなかった。自分でも、何であんなことをしてしまったんだかわからない。きっと、なんにも考えていなかったんだ』

ケイトは笑うのをやめて、わたしの話に真剣に聞き入った。

『わたしときたら、ほんとうにひどい奴だった。それは、君もみんなも知っていることだ。しかし一昨日まで、わたしはそのことに気づいていなかった。自分がひどい奴だってことが見えていなかった。でも、今はわかっている。君をはじめ、人生の中で一番大切にしたいと思ってきた人たちに対して自分がしてきたことを考えると、穴があったら入りたいくらいだ』

ケイトは立ったまま、じっと耳を傾けていた。何を考えているのかはわからなかった。

『とてもいいポストを見つけたんだと思う。だから、ザグラムに帰ってきてくれとはいわない。あんなことをしてしまったんだから。でも頼む。話を聞いてくれ。その上で、もしそうしろといわれれば、ここから出ていって、二度と君の邪魔はしない。とにかく、今では自分がどんなふうにみんなの努力をめちゃくちゃにしてきたのかがわかるし、それを元に戻すためのアイデアも浮かんだような気がしているんだ。ぜひ、話を聞いてほしい』

ケイトは、わたしを招き入れるように後ろに下がった。

『いいわよ、聞きましょう』

わたしはそれから三時間をかけて、その前の数日間に学んだことを、なんとかわかってもらおうと頑張った。箱やらなにやらをね。まったく、下手な説明だったと思うよ」

ルーはそういうと、わたしのほうを見てほほえんだ。

＋「君の力が必要なんだ」

「でも、何をいっているかはそれほど重要じゃなかった。話の内容はとにかく、わたしが本気だということは伝わったんだから。

そしてケイトはいった。

『ええ、わかったわ。でも、一つ質問があるの。わたしが会社に戻るとして、これがあなたの一時の気まぐれじゃないって、どうしていえるの。なぜ、わたしはこれに賭けなくちゃいけないの』

両肩が、がくっと下がったような気がした。何と答えたらいいのかも、わからなかった。

『よくぞ聞いてくれた。心配ご無用と請け合えたらいいんだが。でも、そんなことがいえないことはよくわかっている。君だって、わかっているはずだ。そのことも、話したいと思っていたんだ。ぜひ、君の力を貸してくれ』

そしてわたしは、ケイトに基本的な計画を説明した。

『しなくてはならないことは二つある。まず、みんなに、自分たちがどんなふうに箱にはまりこんでいるのか、業績からどれほど心が離れてしまっているか、その実情を理解してもらうプログラムを確立しなくてはならない。

そしてもう一つ。特にわたしにとっては、これが重要なんだが、もっと長いあいだ箱の外に留まって、業績や成果に気持ちを集中できるようなシステムを確立する必要がある。

考え方、評価の方法、報告の方法、仕事の仕方、あらゆる面で。いったん箱から出てしまえば、さらに仕事を進めていくあいだも箱の外にいられるようにする補助手段は、いくらでも講じられる。そういうシステムを確立しなくてはならないんだ。それには君の力が必要だ』

ケイトは考え込んでいたが、そのうちにゆっくりといった。『そうねえ、考えてみるわ。あとで、電話してもいいかしら？』

『ああ、もちろんだとも。電話の横で見張り番をしているよ』」

CHAPTER

24

+

二度目のチャンスは用意されている

「お祭しの通り、ケイトは電話をかけてきた。わたしはもう一度チャンスをもらったわけだ。君がこれまであこがれてきたザグラムの業績は、このチャンスの賜物なんだ。

再出発にあたっても、わたしはたくさんの間違いを犯した。ほんとうにうまくできたことといえば、君がこの二日間かけて学んだことを全社員に浸透させることくらいだった。『箱』が職場とどう関係しているのか、そのすべてをすぐに理解してもらう必要はなかったから、まずは、一般的なレベルの考え方だけを浸透させることにした。

するとそれだけで、大きな違いが出たんだ。この二日間にバドが君に教えた内容だけでも、一つの会社の社員全員が共有すれば、強力な効果が現れて、しかもそれが持続する。そのことは、わが社の継続的な業績評価の結果からもわかる。

わが社では、二〇年あまりをかけて、『箱』をめぐるさまざまなことをどう具体的にビジネスに応用したらよいか、いろいろと工夫してきた。会社全体として、箱の外に出ている部分が増えてきたおかげで、これまでに話したような、職場で一番よく目にする自分への裏切り行為を、極力減らすための具体的な行動プランを見定め、展開していくこともできるようになった。入社した社員が、同僚や会社に対して箱の中に入ってしまう前に、心を一つにして仕事を進めていけるように、研修を行ったりするんだ」

ルーが口を閉じると、バドが後を引き取った。

＋次の段階に進む前に

「かつてのプログラムと比べれば、今ではずいぶん発展した形になっている。君は昨日と今日で、いわば初歩のカリキュラムを終えたわけだが、これだけでもかなりの効果がある。そしてこれは、その後のあらゆるものの基礎となる。ザグラムがここまでの業績をあげられたのも、このおかげなんだ。ゆくゆくは君も、この第一段階で築き上げたことの上に立って、業績向上に集中する方法、目標を達成するための具体的かつ組織的な方法を学ぶことになる。つまり、社員がなるべく自分を裏切らずに働けて、企業としての収益も最大になるような『業績システム』について学ぶわけだ。そうすることで、よく会社の中で見られる人間関係のいろいろな問題を大幅に減らすことができる。しかし、今日はここまでにしておこう」

「まだ次の段階には行けませんか」

「ああ、まだだ。今の君には、仕事をしているときにありがちな自分への裏切り行為が何であるかは理解できていても、自分がどの程度までその細菌に冒されているのかは、わかっていないからね。自分がどれほど成果に気持ちを集中しそびれているのかが、わかっていない」

顔がひきつりはじめた。昨日の朝以来はじめて、自分が防御の構えに入ったのを感じた。しかし、それに気づいたことで、なぜか救われたような気がして、再び心を開くことができた。

「でも、その点はみんなも同じだ」

バドは、温かい笑みを浮かべた。

「じきにわかる。いくつか、君に読んでおいてもらいたいものがあるんだ。その上で、一週間したらまた会おう。一時間ぐらいですむ」

「わかりました。楽しみです」

「作業をはじめるのはそれからだ。自分の仕事を見直し、今まで評価する必要があるとは思ってもみなかったものを評価する術を学ぶ。そして、これまで考えてもみなかった形で人々に力を貸し、あるいは報告をする。

わたしも、上に立つものとして、君には手を貸すつもりだ。そして君自身、管理職として、部下が自分と同じように動くのを手助けする術を学ばなくてはならない」

バドが立ち上がった。

「こういったことの上に、今日のザグラムがあるんだ。君が、我が社の一員に加わってくれて、ほんとうに嬉しいよ。ところで、もう一つ、別の宿題があるんだが」

「わかりました」

いったい何だろう。

「チャック・スターリと一緒に仕事をしていた頃のことを、思い返してみてほしい」

「スターリですか」

こいつは驚いた。

「そうだ。君が彼と仕事をしていた頃、成果を上げることにどれくらい真剣に気持ちを集中できていたか、思い出してほしい。駄目出しに対して、どれくらい心を開いていたか、閉じていたか、可能な限り積極的に学ぼうとしていたか、熱心に人に教えようとしていたか。自分がしたことに、完全に責任を負っていたか。物事がうまくいかなかったときに、責任をとったか、あるいは逃れようとしたか。問題があったときに、解決を求めてすぐに動いたか、それともその問題を、つむじ曲がりな気持ちで喜んでいたか。自分を取り囲む人々、チャック・スターリをはじめとする人々の信頼を、勝ち得ていたか。

今回学んだことを常に念頭におきながら、そういったことをもう一度考えてみてほしいんだ。考えるにあたっては、徹底的にやってほしい」

バドはそういいながら、ブリーフケースから何かを取り出した。

＋人に力を貸すにはどうすればいいか

「生兵法はけがのもと。今まで話してきたことだって、人を責める道具として利用できるわけで、これを知ったからといって、箱の外に出られるわけじゃない。知るだけでなく、それに即して生きなくてはならない。今まで学んだことを他の人に当てはめて、他人を評価しているあいだは、学んだことに即して生きているとはいえない。むしろ、この知識を生かして、チャック・スターリみたいな人物をも含めた自分の周囲の人々に、さらに力を貸すにはどうすればいいかを学んではじめて、それに即して生きていることになる。その際、心に留めておくべきことがある」

バドはそういうと、わたしに一枚のカードを渡した。そこにはこう書かれていた。

知っておくべきこと

◇自分への裏切りは、自己欺瞞へ、さらには箱へとつながっていく。

◇箱の中にいると、業績向上に気持ちを集中することができなくなる。

◇自分が人にどのような影響を及ぼすか、成功できるかどうかは、すべて箱の外に出ているか否かにかかっている。

◇他の人々に抵抗するのをやめたとき、箱の外に出ることができる。

知ったことに即して生きること

◇完璧であろうと思うな。よりよくなろうと思え。

◇すでにそのことを知っている人以外には、箱などの言葉を使うな。自分自身の生活に、この原則を活かせ。

◇他の人々の箱を見つけようとするのではなく、自分の箱を探せ。

◇箱の中に入っているといって他人を責めるな。自分自身が箱の外に留まるようにしろ。

◇自分が箱の中にいることがわかっても、あきらめるな。努力を続けろ。

◇自分が箱の中にいた場合、箱の中にいたということを否定するな。謝ったうえで、更に前に進め。これから先、もっと他の人の役に立つよう努力をしろ。

◇他の人が間違ったことをしているという点に注目するのではなく、どのような正しいことをすればその人に手を貸せるかを、よく考えろ。

◇他の人々が手を貸してくれるかどうかを気に病むのはやめろ。自分が他の人に力を貸せているかどうかに気をつけろ。

＋相手を知りさえすれば、怖いものは何もない

「ありがとうございます。とてもたすかります」

わたしはそのカードを、ブリーフケースに滑り込ませた。

「どういたしまして。じゃあ、また来週会おう」

わたしはうなずくと立ち上がり、ルーにお礼をいおうと振り返った。

「君が行ってしまう前に、もう一つ話しておきたいことがある」

「はい？」

「息子の、コーリーのことなんだが。覚えているかな」

「ええ」

「あれから三ヵ月後、わたしたちは息子が乗ったのと同じステーションワゴンに乗って、息子が暮らしている人里離れた荒野に向かっていた。数日間をともに過ごし、家に連れて帰るためにね。後にも先にも、あんなに神経がぴりぴりしていたことはなかった。

離れて暮らしているあいだ、わたしは何度も息子に手紙を書いた。矯正プログラムのリーダーが、毎火曜日、子どもたちに手紙を渡してくれることになっていたんだ。わたしは手紙に、心の内を書きつづった。すると、ちょうど子馬がおぼつかない足ではじめて水の流れに踏み込むように、息子はゆっくりとわたしに心を開きはじめた。

手紙のやりとりを通して、わたしはそれまでまるで知らなかった少年を発見した。息子は疑

問と洞察の塊だった。その心の深さ、感情の深さに、わたしは驚いた。そして何よりも、息子の文章には、ある種平穏な感じが漂っていた。おかげで、息子をこんな状況に追いやったのは自分ではないかと自責の念に駆られていたわたしの心も、次第に落ち着いていった。手紙を書き送り、そして受け取るたびに、癒される思いだった。

待ち合わせの場所まであと数マイルというあたりになると、わたしには、自分たちのことしか考えられなくなっていた。ほとんど互いを知ることもなく、引き離されてきた親子。孫の代にまで影響を残したであろう激しい戦いの瀬戸際で、わたしたちは奇跡的に救われたんだ。

埃《ほこり》っぽい丘を回り込んだとき、五〇〇メートルほど先にいる、見たこともないほど汚れきった子どもたちの姿が、目に飛び込んできた。服は汚れて破れ、むさ苦しいひげが生え、三ヵ月間のび放題の髪の毛には、はさみを入れる必要がありそうだった。

そのうちの一人が駆け寄ってきた。すっかり痩せて、汚れて垢にまみれてはいたが、わたしには、誰なのかはっきりとわかった。

『車を止めてくれ、止めろ!』

わたしはドライバーにむかって叫んだ。そして、息子に会おうと車を飛び降りた。

息子はすぐにわたしのところにやって来て、わたしの腕に飛び込んだ。埃だらけの顔を、涙が伝っていた。そしてすすり泣きながら、『もう絶対に父さんを失望させたりしない、絶対にしないよ』といった」

ルーは口をつぐんだ。その瞬間を思い出し、言葉を失っているようだった。

「そんなふうに思ってくれているなんて」

ルーはゆっくりと続けた。

「こっちこそ、息子を失望させてばかりいたのに。そう思うと、心が熱くなった。『わたしも、もうおまえを失望させたりはしないからな』わたしはそういった」

ルーは口を閉じ、その思い出から抜け出すと、優しい目でわたしを見、わたしの肩に手を置いた。

「トム、父を息子から引き離し、夫を妻から引き離し、隣人と隣人を隔てるもの、それと同じものが、同僚と同僚を隔てているんだ。

会社がうまくいかないのも、家族がうまくいかないのも、原因はみな同じだ。それも当然。なにしろ、わたしが抵抗している相手、つまり同僚たち自身も、父であり、母であり、息子であり、娘であり、兄弟であり、姉妹なんだから。

家族も会社も、人間が集まってできている組織なんだ。ザグラムでは、そのことを知り、そのことを生かして仕事をしているんだ。

いいかい、こちらが箱から出て仲間に加わらない限り、バドであれケイトであれ、君の奥さんであれ息子さんであれ、チャック・スターリのような人物であれ、共に働いたり、暮らしている人間の人と形《なり》を知ることは、できないんだ」

LEADERSHIP and SELF-DECEPTION
Getting out of the Box
by The Arbinger Institute
Copyright © 2000 THE ARBINGER INSTITUTE,INC.
Japanese translation rights arranged
with Berrett-Koehler Publishers,San Francisco,California
through Tuttle-Mori Agency,Inc.,Tokyo

監修者エージェント
アップルシード・エージェンシー
http://www.appleseed.co.jp

本作品は文春ネスコより刊行された
『箱—Getting Out of The Box』(2001年10月刊)を改題したものです。

著者紹介

The Arbinger Institute

アービンジャー・インスティチュート

アメリカ・ユタ州に拠点を置く研究所。哲学者T・ウォーナーが創設メンバーに加わっていたという異色の集団。現在ではビジネス、法律、経済、哲学、教育、心理学の専門家が一堂に会し、組織内にある人間関係の諸問題を解決することによって、収益性を高めようという独自のマネージメント研修やコンサルティング業務を行っている。ちなみにArbingerとは先駆けの意。http://www.arbinger.com/

監修者紹介

金森重樹

かなもり・しげき

1970年生まれ。東大法学部卒。ビジネスプロデューサー。投資顧問業・有限会社金森実業代表。物件情報の提供から、融資付け、賃貸募集の支援まで行う会員組織「通販大家さん」を運営し、会員が億単位の資産形成をするのをサポート(会員数2万人)。読者数18万人のメールマガジン、「回天の力学」の発行者として、マーケティング業界でも著名。 通販大家さん http://www.28083.jp主な著書に、『1年で10億つくる!不動産投資の破壊的成功法』(ダイヤモンド社)、『インターネットを使って自宅で1億円稼いだ! 超・マーケティング』(ダイヤモンド社)、『超・営業法「行政書士」開業初月から100万円稼いだ』(PHP研究所)などがある。

訳者紹介

冨永 星

とみなが・ほし

京都生まれ。京都大学理学部数理科学系を卒業。国立国会図書館、自由の森学園教員などを経て、現在は翻訳者として活躍。主な訳書に、『素数の音楽』(新潮社)、『数学ができる人はこう考える』(白揚社)、『天国にいちばん近い場所』(ポプラ社)、『魔女になりたいティファニーと奇妙な仲間たち』(あすなろ書房)などがある。

自分《じぶん》の小《ちい》さな「箱《はこ》」から脱出《だっしゅつ》する方法《ほうほう》
人間関係《にんげんかんけい》のパターンを変《か》えれば、うまくいく!

2006年11月5日　第1刷発行
2025年10月5日　第61刷発行

著　者　アービンジャー・インスティチュート

監修者　金森重樹《かなもりしげき》
訳　者　冨永　星《とみなが　ほし》 ©Hoshi Tominaga 2006, Printed in Japan

発行者　大和　哲
発行所　大和書房《だいわ》
〒112-0014 東京都文京区関口1-33-4

ブックデザイン　寄藤文平　坂野達也

本文印刷　信毎書籍印刷
カバー印刷　歩プロセス
製本所　ナショナル製本

ISBN978-4-479-79177-5 乱丁・落丁本はお取替えいたします
http://www.daiwashobo.co.jp

大和書房の本

本田　健

ユダヤ人大富豪の教え

幸せな金持ちになる17の秘訣

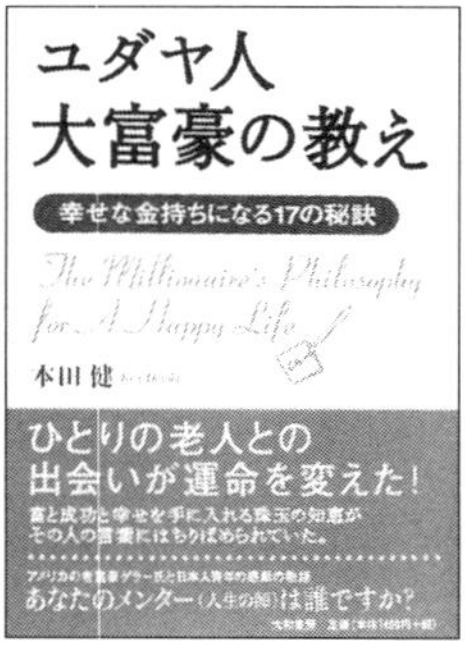

あなたのメンターは誰ですか――ユダヤ人大富豪ゲラー氏との出会いが，二十歳の著者の運命を変えた！幸せな金持ちへの原点を語る。

定価（本体1400円＋税）